smart is sexy
Orbi.kr

이제 **오르비**가 학원을 재발명합니다

smart is sexy
Orbi.kr

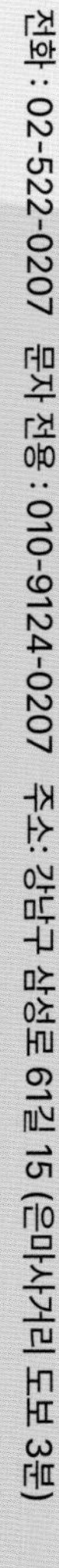
전화 : 02-522-0207 문자 전용 : 010-9124-0207 주소: 강남구 삼성로 61길 15 (은마사거리 도보 3분)

출발의 습관은 수능날까지 계속됩니다.
형식적인 상담이나
관리하고 있다는 모습만 보이거나
학습에 전혀 도움이 되지 않는
보여주기식의 모든 것을 배척합니다.

쓸모없는 강좌와 할 수 없는 계획을 강요하거나
무모한 혹은 무리한 스케줄로
1년의 출발을 무의미하게 하지 않습니다.
형식은 모방해도 내용은 모방할 수 없습니다.

개인의 능력을 극대화 시킬 모든 계획이 오르비학원에 있습니다.

Show and Prove

1

수리논술을 위한 Basic logic & 수학 1

저자 소개

SaP 시리즈 저자

김기대 T

- 고려대학교 수학과 (수리논술 합격 + 당해 수능 가형 100점)
- 2015~ 기대모의고사 저자, 2023~ 기대 N제 수학1 / 수학2 / 미적분 저자
- 2023~ Show and Prove 1편 ~ 3편 저자
- 現) 대치동 수리논술 현장강의 & 비대면 강의

자문

강민재 부산과학고등학교 졸업
연세대학교 수학과 (수리논술 합격)

검토진

김기준 서울대학교 수학교육과

양수진 서울대학교 수리과학부 박사수료
(前 용인외대부고 교사)

김재서 성균관대학교 자연과학계열
(수리논술 합격)

박도형 경희대학교 치의예과
(수리논술 합격)

전지원 이화여대 뇌인지과학전공
(수리논술 합격)

기대T 교재 커리큘럼

<table>
<tr><th>출판 교재명</th><th>1월~4월</th><th>5월</th><th>6월</th><th>7월</th><th>8월</th><th>9월</th><th>10월</th><th>11월</th></tr>
<tr><td rowspan="5">Show and Prove
수리논술 실전개념서</td><td colspan="6">1편 : 수리논술을 위한 Basic Logic 및 수학1</td><td rowspan="2">연세/시립/홍익
학교별 Final 수업</td><td rowspan="5">수능후
학교별
Final
수업</td></tr>
<tr><td colspan="6">2편 : 수리논술을 위한 수학2 & 미적분</td></tr>
<tr><td colspan="7">3편 : 수리논술을 위한 Advanced 미적분 & Theme</td></tr>
<tr><td></td><td colspan="6">4편 : 수리논술을 위한 선택확통과 선택기하 (수강생 전용)</td></tr>
<tr><td></td><td colspan="6">대학별 기출 분석집 (자체 해설수록, 25년 출판 예정)</td></tr>
<tr><td>기대 N제
수능수학 문제집</td><td colspan="8">수학1, 수학2, 미적분
(확률과 통계, 기하는 미정)</td></tr>
<tr><td rowspan="2">기대모의고사
수능수학 모의고사</td><td colspan="2"></td><td colspan="6">시즌1</td></tr>
<tr><td colspan="4"></td><td colspan="4">시즌2 (미정)</td></tr>
<tr><td>대학별 Final
분석 교재</td><td colspan="8">Final 전용 교재 (Final 수강생만 구매 가능, 미출판)</td></tr>
</table>

- 학습 기간은 한 권 기준 4주를 넘기지 않는 것이 좋습니다.
- 음영 구간은 '학습 권장 시즌'을 의미합니다.
- 자세한 교재설명이나 출간 소식은 오른쪽 QR코드를 참고 해주세요.

교재
사용법

1. 학습 전 사전공부 권장량

1편 수리논술을 위한 Basic logic & 수학 1

고1 수학 학습 + 수학1 학습 + 수학2 & 미적분 기본개념 1회독

2편 수리논술을 위한 수학 2 & 미적분

본 시리즈 1편 학습 + 1편 누적 + 수학2 학습 + 미적분 학습

3편 수리논술을 위한 Advanced 미적분 & Advanced Theme

본 시리즈 2편 학습 + 2편 누적

4편 수리논술을 위한 선택기하와 선택확통 (수강생 전용)

고1 수학, 수학1, 미적분 학습 + 선택확통, 선택기하 기본개념 1회독

5편 수리논술 대학별 주요 기출문제집 (2025년 예정)

본 시리즈 1편 ~ 4편 학습 권장

2. 해설집 활용법

예제와 실전 논제에 대한 해설 전부는 해설집에 수록 되어있으나, 일부는 문제집에도 동시 수록 되어있습니다.
해설이 없는 문제는 없으니, 항상 해설집을 옆에 두고 공부하세요.
(Chapter별로 나뉘어져 있는 예제 해설 모음 뒤에 논제 해설 모음이 있습니다.)

또한 예제와 실전 논제에 있는 별표는 다음과 같이 활용하면 됩니다.

<table>
<tr><th>별표</th><th>설명</th><th>고민 정도</th><th>고민 시간</th></tr>
<tr><td>★☆☆☆☆</td><td>직전에 배운 개념을 가볍게 확인하기 위한 쉬운 문제</td><td>매우 빠르게</td><td>3분 이내</td></tr>
<tr><td>★★☆☆☆</td><td>빈출하는 주제, 평이한 난이도의 문제</td><td>적당히</td><td>5~10분 이내</td></tr>
<tr><td>★★★☆☆</td><td>실전 문제로 나오는 수준의 난이도이며, 고민 시간을 투자할 가치가 충분히 있는 고난도 문제</td><td rowspan="2">넉넉히</td><td>15~20분 이내</td></tr>
<tr><td>★★★★☆</td><td>합격자조차도 승률이 반반 정도인 매우 어려운 문제</td><td>20~25분 이내</td></tr>
<tr><td>★★★★★</td><td>못 풀어도 합격이 가능할 만큼, 도전과 배움에 의의를 둔 초고난도 문제. 적당한 고민 후 해설로 빠른 학습 권장</td><td>빠르게</td><td>10~15분 이내</td></tr>
<tr><td colspan="4">꼭 고민 시간을 지키지 않아도 됩니다.</td></tr>
</table>

기대T 수리논술 수업 연간 커리큘럼

수리논술 수업일		수업 Theme (대면 강의 & 비대면 온라인 강의 동시 진행)	〈수업명〉 교재 및 첨삭여부
2월	1주차	- 수리논술 논리의 기본과 답안 설계법 - 증명법 1:수학적 귀납법 + 심화 (부분 수귀/강한 수귀) - 증명법 2:귀류법과 대우법 및 특수 증명법	**〈정규반 프리시즌〉** 자체 교재 + 모의고사 응시 (2월 수강생은 1:1 첨삭 무한제공)
	2주차		
	3주차		
	4주차		
3월	1주차	- 삼각함수 활용 및 심화	**〈정규반 시즌 1〉** 시리즈 1편 + 수업용 자체 교재 + 모의고사 응시 + 첨삭 (1차첨삭 후 2차첨삭 추가제공)
	2주차	- 고난도 수열 및 시그마 성질 심화	
	3주차	- 수리논술용 수학1 심화 특강	
	4주차	- 시즌1 마무리	
	5주차	- 미적분을 위한 기본기 : 극한	**〈정규반 시즌 2〉** 시리즈 2편 + 수업용 자체 교재 + 모의고사 응시 + 첨삭 (1차첨삭 및 2차첨삭 추가제공) (5월 수강생에게는 확통기본강의 무료 제공 + 확통 특강 할인)
4월	1주차	- 함수의 연속 : 사잇값 정리 및 최대최소 정리의 활용	
	2주차	- 미분가능성 오개념 때려잡기 & 평균값의 정리	
	3주차	중간고사 내신휴강 (3주 예정) 추천학습:선택확통 기본강의 학습 / 선택확통 특강 수강	
	4주차		
5월	1주차		
	2주차	- 평균값의 정리 고급 활용 & 미분의 활용	
	3주차	- 수리논술용 적분 Basic1	
	4주차	- 수리논술용 적분 Basic2 & 시즌2 마무리	

* 수업 Theme은 예시입니다. 출제 트렌드에 따라 커리큘럼이 매년 변화합니다.
* 수업시간마다 보는 Test 문항에 대한 첨삭이 매수업 제공됩니다.
* 지난 수업 첨삭도 상황에 따라 가능합니다. 오른쪽 QR코드 참고하세요.
* 확통/기하 기본강의는 유베이스가 되기 위한 강의이며, 5, 6월 정규반 수강생들에게 제공됩니다. 확통/기하 특강은 고난도 수리논술 전용 문제풀이 skill을 가르치는 특강입니다.

수업소개 및 첨삭안내 등
정확한 안내는 아래
QR코드를 참고하세요.

수리논술 수업일		수업 Theme	교재 및 첨삭여부
6월	1주차	- Advanced 미적분 1 : 이변수함수, 젠센부등식 등	**〈정규반 시즌 3〉** 시리즈 3편 + 수업용 자체 교재 + 모의고사 응시 + 첨삭 (1차첨삭 후 2차첨삭 추가제공) (6월 수강생에게는 기하기본강의 무료 제공 + 기하 특강 할인) **추가 선택** 〈선택과목 실전+심화 특강〉 수리논술을 위한 액기스 특강 (선택확통 3강 및 선택기하 3강) (온라인 영상수강이며, 상위권 대학 지원생은 수강 권고)
	2주차	- Advanced 미적분 2 : 적분고급활용, 함수방정식 등	
	3주차	- Advanced 미적분 3 : 미분방정식, 지엽 미적분 등	
	4주차	기말고사 내신휴강 (3주 예정) 추천학습:선택기하 기본강의 학습 / 선택기하 특강 수강	
	5주차		
7월	1주차		
	2주차	- 수리논술 실전개념 1 : 정수론 / 고등수학 심화	
	3주차	- 수리논술 실전개념 2 : 부등식의 여러 가지 증명	
	4주차	- 수리논술 실전개념 3 : 더블카운팅 등 전용테마	

* 재수생이거나 논술에 진심이라면, 여유시간 (중간/기말 내신휴강기간 등등)을 활용하여 확통 및 기하 선택과목 심화특강을 수강해두시기 바랍니다.
8월 수업부터는 선택확통 및 선택기하 융합문제들도 전부 다루게 됩니다.

수리논술 수업일		수업 Theme	교재 및 첨삭여부
8월	1주차	- Semi Final 1 (대학별 출제성향파악 : A, B그룹)	**〈Semi Final〉** 대학별 출제성향파악 + 수시원서 지원상담 진행 + 모의고사 응시 + 1차첨삭 제공
	2주차	- Semi Final 2 (대학별 출제성향파악 : C, D그룹)	
	3주차	- Semi Final 3	
	4주차	- Semi Final 4 (+ 수리논술 1:1 원서상담 진행)	
9월	1주차	- 상위권 수리논술 고난도 문제 해제 + 예상 모의 1	**〈고난도 문제풀이반 For 메디컬/고/연/서성한시〉** 상위권 수리논술을 위한 문풀진행 자체 교재+고난도 모의고사 응시
	2주차	- 상위권 수리논술 고난도 문제 해제 + 예상 모의 2	
	3주차	- 상위권 수리논술 고난도 문제 해제 + 예상 모의 3	
	4주차	- 고난도 문제 해제 + 예상 모의 4 (정규반 종강)	
수능전 Final (연세/시립/홍익)		학교별 Final 특강 (학교별 전용 파이널 교재 사용) 추석연휴 3일 and 직전 2일 (총 5회)	**〈학교별 Final〉** 학교별 자료집+예상문제 모의고사 응시 후 첨삭/채점 제공
11월	수능후	메디컬/고려/한양/성균/중앙/경희/인하 등 학교별 Final	

기대T 수리논술 수업 상세안내

수업명	수업 상세 안내 (지난 수업 영상수강 가능)
정규반 프리시즌 (2월)	- 수리논술만의 특징인 '답안작성 능력'과 '증명 능력'을 향상 시키는 수업 - 수험생은 물론 강사도 가질 수 있는 '증명 오개념'을 타파시키는 수학 전공자의 수업
정규반 시즌1 (3월)	- 수능/내신 공부와 다른 수리논술 공부의 결 & 방향성을 잡아주는 수업 - 삼각함수 & 수열의 콜라보 등 논술형 발전성을 체감해볼 수 있는 실전 내용 수업
정규반 시즌2 (4~5월)	- 수리논술에서 50% 이상의 비중을 차지하는 수리논술용 미적분을 집중 해석하는 수업 - 수리논술에도 존재하는 행동 영역을 통해 고난도 문제의 체감 난이도를 낮춰주는 수업 - 대학의 모범답안을 보고도 '이런 아이디어를 내가 어떻게 생각해내지?'라는 생각이 드는 학생들도 납득 가능하고 감탄할 만한 문제접근법을 제시해주는 수업
정규반 시즌3 (6~7월)	- 상위권 대학의 합격 당락을 가르는 고난도 주제들을 총정리하는 수업 - 아래 학교의 수리논술 합격을 바라는 학생들이라면 강추 (메디컬, 고려, 연세, 한양, 서강, 서울시립, 경희, 이화, 숙명, 세종, 서울과기대, 인하)
선택과목 특강 (선택확통 / 선택기하)	- 수능/내신의 빈출 Point와의 괴리감이 제일 큰 두 과목인 확통/기하의 내용을 철저히 수리논술 빈출 Point에 맞게 피팅하여 다루는 Compact 강의 (영상 수강 전용 강의) - 확통/기하 각각 2~3강씩으로 구성된 실전+심화 수업 (교과서 개념 선제 학습 필요) - 상위권 학교 지원자들은 꼭 알아야 하는 필수내용 / 6월 또는 7월 내로 완강 추천
Semi Final (8월)	- 본인에게 유리한 출제 스타일인 학교를 탐색하여 원서지원부터 이기고 들어갈 수 있도록 태어난 새로운 수업 (모든 대학을 출제유형별로 A그룹~D그룹으로 분류 후 분석) - 최신기출 (작년 기출+올해 모의) 중 주요 문항 선별 통해 주요대학 최근 출제 경향 파악
고난도 문제풀이반 For **메디컬/고/연/서성한시**	- 2월~8월 사이 배운 모든 수리논술 실전 개념들을 고난도 문제에 적용 해보는 수업 - 전형적인 고난도 문제부터 출제될 시 경쟁자와 차별될 수 있는 창의적 신유형 문제까지 다양하게 만나볼 수 있는 수업
학교별 Final **(수능전 / 수능후)**	- 학교별 고유 출제 스타일에 맞는 문제들만 정조준하여 분석하는 Final 수업 - 빈출 주제 특강 + 예상 문제 모의고사 응시 후 해설 & 첨삭 - 고승률 문제접근 Tip을 파악하기 쉽도록 기출 선별 자료집 제공 (학교별 상이)
첨삭	수업 형태 (현장 강의 수강, 온라인 수강) 상관없이 모든 학생들에게 첨삭이 제공됩니다. 1차 서면 첨삭 후 학생이 첨삭 내용을 제대로 이해했는지 확인하기 위해, 답안을 재작성하여 2차 대면 첨삭영상을 추가로 제공받을 수 있습니다. 이를 통해 학생은 6~10번 이내에 합격급으로 논리적인 답안을 쓸 수 있게 되며, 이후에는 문제풀이 Idea 흡수에 매진하면 됩니다.

정규반 안내사항 (아래 QR코드 참고)

대학별 Final 안내사항 (아래 QR코드 참고)

목차

CHAPTER.1

수리논술 답안에 담겨야 하는 기본적인 약속들과 수리논술 공부시 필요한 마인드에 대해 학습합니다.

CHAPTER.2

수리논술의 기본기에 해당하는 증명구조에 대해 배웁니다. 출제단원 불문하고 항상 연계될 수 있는 Chapter이므로 증명 Idea들을 빠짐없이 마스터할 수 있도록 '증명구조 이해에 기반한 학습'을 하기 바랍니다.

CHAPTER.3

수리논술 실전력을 올리기 위한 본격적 시작단계입니다. 수능에선 비주류이지만 수리논술에선 빈출되는 개념과 공식들이 등장합니다. 2편, 3편을 공부하는 데에 필수적인 실전개념들이므로 잘 학습해둡시다.

CHAPTER.4

대입 후 값을 관찰하는 수능수학에서의 고난도 수열과는 결이 다른 수리논술 전용 수열 고난도 개념에 대해 학습합니다. 수리논술 학습자와 미학습자의 초격차를 벌릴 수 있는 단원이므로 주의사항에 집중하여 학습하도록 합시다.

CHAPTER.5

본 교재에서 배운 개념들을 활용해서 최근 주요 문항을 풀어보는 Chapter입니다.

CHAPTER.6

본 교재에서 배운 개념들을 활용해서 최근 대한민국 수리논술 주요 기출문항을 풀어보는 Chapter입니다.

Show and Prove

기대T 수리논술 수업 상세안내

수업명	수업 상세 안내 (지난 수업 영상수강 가능)
정규반 프리시즌 (2월)	- 수리논술만의 특징인 '답안작성 능력'과 '증명 능력'을 향상 시키는 수업 - 수험생은 물론 강사도 가질 수 있는 '증명 오개념'을 타파시키는 수학 전공자의 수업
정규반 시즌1 (3월)	- 수능/내신 공부와 다른 수리논술 공부의 결 & 방향성을 잡아주는 수업 - 삼각함수 & 수열의 콜라보 등 논술형 발전성을 체감해볼 수 있는 실전 내용 수업
정규반 시즌2 (4~5월)	- 수리논술에서 50% 이상의 비중을 차지하는 수리논술용 미적분을 집중 해석하는 수업 - 수리논술에도 존재하는 행동 영역을 통해 고난도 문제의 체감 난이도를 낮춰주는 수업 - 대학의 모범답안을 보고도 '이런 아이디어를 내가 어떻게 생각해내지?'라는 생각이 드는 학생들도 납득 가능하고 감탄할 만한 문제접근법을 제시해주는 수업
정규반 시즌3 (6~7월)	- 상위권 대학의 합격 당락을 가르는 고난도 주제들을 총정리하는 수업 - 아래 학교의 수리논술 합격을 바라는 학생들이라면 강추 (메디컬, 고려, 연세, 한양, 서강, 서울시립, 경희, 이화, 숙명, 세종, 서울과기대, 인하)
선택과목 특강 (선택확통 / 선택기하)	- 수능/내신의 빈출 Point와의 괴리감이 제일 큰 두 과목인 확통/기하의 내용을 철저히 수리논술 빈출 Point에 맞게 피팅하여 다루는 Compact 강의 (영상 수강 전용 강의) - 확통/기하 각각 2~3강씩으로 구성된 실전+심화 수업 (교과서 개념 선제 학습 필요) - 상위권 학교 지원자들은 꼭 알아야 하는 필수내용 / 6월 또는 7월 내로 완강 추천
Semi Final (8월)	- 본인에게 유리한 출제 스타일인 학교를 탐색하여 원서지원부터 이기고 들어갈 수 있도록 태어난 새로운 수업 (모든 대학을 출제유형별로 A그룹~D그룹으로 분류 후 분석) - 최신기출 (작년 기출+올해 모의) 중 주요 문항 선별 통해 주요대학 최근 출제 경향 파악
고난도 문제풀이반 For 메디컬/고/연/서성한시	- 2월~8월 사이 배운 모든 수리논술 실전 개념들을 고난도 문제에 적용 해보는 수업 - 전형적인 고난도 문제부터 출제될 시 경쟁자와 차별될 수 있는 창의적 신유형 문제까지 다양하게 만나볼 수 있는 수업
학교별 Final (수능전 / 수능후)	- 학교별 고유 출제 스타일에 맞는 문제들만 정조준하여 분석하는 Final 수업 - 빈출 주제 특강 + 예상 문제 모의고사 응시 후 해설 & 첨삭 - 고승률 문제접근 Tip을 파악하기 쉽도록 기출 선별 자료집 제공 (학교별 상이)
첨삭	수업 형태 (현장 강의 수강, 온라인 수강) 상관없이 모든 학생들에게 첨삭이 제공됩니다. 1차 서면 첨삭 후 학생이 첨삭 내용을 제대로 이해했는지 확인하기 위해, 답안을 재작성하여 2차 대면 첨삭영상을 추가로 제공받을 수 있습니다. 이를 통해 학생은 6~10번 이내에 합격급으로 논리적인 답안을 쓸 수 있게 되며, 이후에는 문제풀이 Idea 흡수에 매진하면 됩니다.

정규반 안내사항 (아래 QR코드 참고)

대학별 Final 안내사항 (아래 QR코드 참고)

수리논술 논리와 전개

Show and Prove

1-1

Chapter 1. 수리논술 논리와 전개

답안작성법과 기호

1. 답안작성 기본원칙

수리논술 답안작성이란

ⓐ(문제조건 또는 공리[1])의 ⓑ(변화과정을 다른 문제조건 또는 다른 공리를 이용해 설명)하여
ⓒ(새로운 사실을 이끌어냄)을 반복적으로 적어냄으로써

문제에서 요구하는 증명이나 정답(=보여야 하는 것)을 이끌어내는 과정을 자연스러운 문장형식으로 써주는 것

이다. (수리논술도 결국 '논술=논리적으로 서술하는 것'이기 때문에)
서술에 대한 감이 잘 안 올 경우 여러분이 공부하는 수능수학 학습서들의 해설지를 여러 권 펴서 읽어보는 것만으로도 큰 도움이 된다.

〈예제 1〉은 수능 2점급의 매우 쉬운 문제인데, 답안을 본인 스타일대로 작성해보고 〈해설 1〉과 비교해보자.

'문제를 풀 수 있는 것과, 답안을 쓰는 것은 다른 능력이다.'

예제 1 ★☆☆☆☆ 연습문제

상수항이 2인 다항함수 $f(x)$에 대하여 $f'(x)=3x^2$ 일 때, $f(x)$를 구하시오.

연습지

1) 당연히 맞다고 여겨지는 것. 보통 1+1=2와 같은 수학적인 진리를 의미하나, 본 책에선 이미 알고 있는 교육과정 내의 공식이나 문제의 조건 같은 것도 공리라 하겠다.

해설 1

잘못된 답안)

1. $f'(x)=3x^2$, $f(x)=x^3+c$, $f(x)=x^3+2$.
2. $f'(x)=3x^2$이고 $f(x)=x^3+c$ 이므로 $f(x)=x^3+2$ 이다.[2]

정석적 답안)

$f'(x)=3x^2$의 양변을 적분하면 $f(x)=x^3+c$ (단, c는 적분상수) 이고

ⓐ 조건 ⓑ 변화과정 ⓒ 새로운 사실 이끌어 냄

$f(x)$의 상수항이 2이므로 $c=2$이다. 따라서 $f(x)=x^3+2$이다.

ⓐ 조건 ⓒ 새로운 사실 이끌어 냄

기호 사용 답안)

$f'(x)=3x^2 \Rightarrow f(x)=x^3+c$ ($\because$ 양변 적분, c는 적분상수)[3]

$\Rightarrow f(x)=x^3+2$ ($\because$ $f(x)$ 상수항 2)

$\therefore f(x)=x^3+2$.

잘못된 답안과 같이, 여러분의 연습장처럼 답안지를 제출하거나 근거와 논리를 누락돼서는 안된다.
본인이 어떤 논리로 답안을 전개시키고 있는지 명확히 표현될 수 있도록 하자.

정석적 답안은 흔히 우리가 수능 수학책의 해설지와 같은 형식이고, 기호 사용 답안은 정석 답안보다 컴팩트한 느낌을 준다. 하지만 두 답안 모두 완전무결한 답안으로, 점수 차이는 없으므로 굳이 컴팩트한 기호 사용 답안에 혈안이 될 필요는 없다.

2) 물론 이 문제는 너~~~~무 간단한 문제이므로 이 정도로만 써도 0점을 받는 수준까진 아닐 것이지만, 고난도 문제일수록 정석적 답안/기호사용 답안과 같이 쓰는 것이 필수가 되므로 처음부터 연습을 잘해두는 것이 좋겠다.

3) 이 부분은 간단한 과정이므로 설명 생략 가능하지만, 공부하는 초기에는 신경써주자.

| 답안에 자주 사용하는 기호와 Tip

앞선 두 답안처럼 말끔한 답안을 쓰기 위해서 자주 사용하는 기호들이 몇몇 있는데 아래 표를 참고하도록 하자.

기호/Tip	의미/사용처	기호/Tip	의미/사용처
∴	따라서	∵	왜냐하면
~~ ⋯ ⓐ	'~~~ 를 ⓐ라 하자'는 암묵적 약속	〈그림 1〉	그래프, 도형 아래에 써주기
한편	다른 것을 구하려고 문단을 바꿀 때 사용하는 부사		
⇒, ⇔	명제를 표현하는 기호로, 다음 페이지 참고		
일반성을 잃지 않는다.	문제의 전제를 특수한 케이스로 좁히더라도 증명의 유효성에 영향을 주지 않는 가정을 나타낼 때 사용한다.		

여기서 '일반성을 잃지 않는다.'라는 표현이 어색할 수 있는데, 활용 예시를 봐보자.
예를 들어,

$a^b = b^a$을 만족시키는 3이상의 서로 다른 두 자연수 순서쌍$(a,\ b)$가 존재하지 않음을 보이시오.

라는 문제를 증명할 때, $a > b$라고 가정한 후 증명을 진행한다.
$b > a$일 수 있음에도 불구하고 '$a > b$라 해도 일반성을 잃지 않는다.'라고 전제한 증명에는 문제가 없는 이유에 대해 알아보자.

위의 문제에 a자리에 b를 넣고 b자리에 a를 넣어보면

$b^a = a^b$을 만족시키는 3이상의 서로 다른 두 자연수 순서쌍$(a,\ b)$가 존재하지 않음을 보이시오.

으로 바뀌지만, 결국 원래 명제와 같은 명제가 됨을 확인할 수 있다.

즉 $a > b$이든 $b > a$이든 증명과정과 결과에 영향을 주지 않는 경우일 때, 이 중 하나의 상황으로 고정한 후 증명하는 상황에서 우리는 일반성을 잃지 않는다는 표현을 사용한다.
이후 수리논술 공부를 할 때에도 자주 나올 표현이니 그때마다 표현법을 익혀두길 바란다.

spoiler

이후 증명은 $a > b$ 이므로 $a^b < b^a$임을 알 수 있고[4], 따라서 $a^b = b^a$를 만족시키는 순서쌍이 존재하지 않음을 보이는 방향으로 진행된다. 즉, $a > b$라는 조건 덕분에 증명이 간편해짐을 확인할 수 있다.

4) $y = \frac{\ln x}{x}$ 그래프를 이용하여 증명할 수 있다.

2. 명제 기호

기호	의미
→	p → q 의 의미 : 명제 'p이면 q이다.' 의 참-거짓이 확인되지 않았을 때 사용
⇒	p ⇒ q 의 의미 : 명제 'p이면 q이다.' 가 참임이 확실할 때 사용
⇔ (필요충분조건)	p ⇔ q 의 의미 : 두 명제 'p이면 q이다.' 와 'q이면 p이다.' 가 모두 참이다.[5]

| 기호 '→'

참인 논리로만 답안을 작성해야 하는 수험생들은 수리논술 답안에 → 를 사용하지 않도록 주의한다.[6]

| 기호 '⇒'

'미분가능한 함수는 연속이다.' 는 참인 명제이지만, 가정과 결론의 순서를 바꾼 명제인
'연속인 함수는 미분가능이다.' 는 거짓인 명제이다. (반례 : $y = |x|$)
즉, 가정(p)과 결론(q)의 관계에 따라 ⇒의 방향이 결정되므로, p와 q의 논리관계에 주의해야 한다.[7]

| 기호 '⇔' (필요충분조건)

'p일 때 q임을 보이시오.' 와 같은 문제에서 'p'는 문제에서 주어진 조건이므로 자유롭게 써도 된다.
하지만 q는 우리가 보여내야 하는 것으로, 단 한 가지 경우를 제외하면 q를 문제풀이에 사용해선 안된다.
그 한 가지 경우가 바로 필요충분조건 기호를 활용하는 방법이다.

보이려는 명제 (p이면 q이다.) 혹은 식 (A=B)을 미리 써놓고

이 식(또는 명제)은 저 식하고 똑같은 식이고, 저 식은 요 식하고 똑같은 식이야.
근데 요 식이 올바른 식이니까 저 식도 맞고, 그래서 이 식도 맞아![8]

라며 풀어내는 논리에서 필요충분조건 기호가 활용된다. 다음 예제에서 적용 해보자.

예제 2 ★☆☆☆☆ 연습문제

모든 자연수 n에 대하여 $2n+10 > n+5$ 임을 보이시오.

연습지

5) 어떤 두 조건 p, q가 필요충분관계에 있음을 보이라는 문제가 나온다면, 두 명제 'p이면 q이다.' 와 'q이면 p이다.' 가 동시에 성립함을 보여주면 된다.

6) 무시하고 이 기호를 쓴다면, 교수님에게 '이 명제가 참일까요 거짓일까요~' 퀴즈를 내는 셈이 된다.
기억에 남는 지원자가 되겠지만 합격할 순 없을 것 ^_^

7) 책 첫 장이라고 너무 당연한 얘기를 한다며 코웃음 치는 친구들의 절반 이상은 이 행동강령을 제대로 지키지 못한다.

8) 기호화 해보면 다음과 같다. "A=B 이고, B=C야. 근데 C가 맞으니 B도 맞고, 그래서 A도 맞아."

해설 2

$2n+10>n+5 \Leftrightarrow n>-5$ 인데 n은 자연수이므로 $n>-5$는 자명한 부등식이다. 따라서 문제의 부등식도 성립한다.

이렇듯 문제에서 보이라는 것과 동일한 상황(=필요충분조건)을 찾아내고 그것을 설명해냄으로써 문제에서 보이라는 것도 설명해낼 수 있었다.

〈예제 3〉을 푼 후 이번에도 본인 스타일대로 답안을 작성해보고, 〈해설 3〉과 비교해보자.

예제 3

★★☆☆☆ 연습문제

두배각공식 $2\sin\alpha\cos\alpha=\sin 2\alpha$을 이용하여 $\cos\frac{\pi}{7}\times\cos\frac{2\pi}{7}\times\cos\frac{4\pi}{7}=-\frac{1}{8}$ 임을 보이시오.

연습지

해설 3

일반적인 답안)

$$\cos\frac{\pi}{7}\times\cos\frac{2\pi}{7}\times\cos\frac{4\pi}{7}=\frac{\cos\frac{\pi}{7}\times\cos\frac{2\pi}{7}\times\cos\frac{4\pi}{7}\times\sin\frac{\pi}{7}}{\sin\frac{\pi}{7}}$$

$$=\frac{\sin\frac{2\pi}{7}\times\cos\frac{2\pi}{7}\times\cos\frac{4\pi}{7}}{2\sin\frac{\pi}{7}}\ (\because \text{두배각공식, 이후 반복적용})$$

$$=\frac{\sin\frac{4\pi}{7}\times\cos\frac{4\pi}{7}}{4\sin\frac{\pi}{7}}=\frac{\sin\left(\pi+\frac{\pi}{7}\right)}{8\sin\frac{\pi}{7}}=-\frac{1}{8}\times\frac{\sin\frac{\pi}{7}}{\sin\frac{\pi}{7}}=-\frac{1}{8}\ \text{이다.}$$

필요충분조건을 활용한 답안)

$$\cos\frac{\pi}{7}\times\cos\frac{2\pi}{7}\times\cos\frac{4\pi}{7}=-\frac{1}{8}\Leftrightarrow 2^3\times\sin\frac{\pi}{7}\times\cos\frac{\pi}{7}\times\cos\frac{2\pi}{7}\times\cos\frac{4\pi}{7}=-\sin\frac{\pi}{7}$$

$$\Leftrightarrow 2^2\times\sin\frac{2\pi}{7}\times\cos\frac{2\pi}{7}\times\cos\frac{4\pi}{7}=-\sin\frac{\pi}{7}\ (\because \text{두배각공식})$$

$$\Leftrightarrow \sin\frac{8\pi}{7}=-\sin\frac{\pi}{7}\ (\because \text{두배각공식 반복적용})$$

한편 사인함수의 성질에 의하여 $\sin\left(\pi+\frac{\pi}{7}\right)=-\sin\frac{\pi}{7}$ 이므로

문제의 준식 $\cos\frac{\pi}{7}\times\cos\frac{2\pi}{7}\times\cos\frac{4\pi}{7}=-\frac{1}{8}$ 역시 참이다.

TIP

값이나 등식[9]을 보이는 문제에서 보이려는 값이나 등식 그 자체를 문제에서 제시된 조건 마냥 미리 사용해서는 안된다. 문제를 풀고 있는 우리는 그 정보가 완벽히 맞는 정보인지 아직 모르기 때문이다.

따라서 <해설 3>의 일반적인 답안처럼 $\cos\frac{\pi}{7}\times\cos\frac{2\pi}{7}\times\cos\frac{4\pi}{7}$ 에서부터 출발하여 각종 논리와 계산을 이용하여

최종적으로 $\frac{\sin\left(\pi+\frac{\pi}{7}\right)}{8\sin\frac{\pi}{7}}=-\frac{1}{8}\times\frac{\sin\frac{\pi}{7}}{\sin\frac{\pi}{7}}=-\frac{1}{8}$ 으로 다다르는 답안을 채택해줘야 한다.

그럼에도 불구하고 보이려는 값이나 등식을 먼저 사용하고 싶으면, <해설 3>의 필요충분조건을 활용한 답안처럼 그 값과 등식을 필요충분조건으로 드리블을 해서 풀이/증명을 이끌어가야 한다.

| 종합

일반적인 답안 방식을 우선시하되, 필요충분조건을 활용한 답안 방식도 유용할 때가 있으므로 잘 익혀두길 바란다.

9) 예시) $f(2)=2$임을 보이시오. or $f(x)=2x$임을 보이시오.

3. 답안을 쓰고서 꼭 해야 할 복기 자세

| 수식으로 쓴 답안을 역으로 한글로 풀어 써보기

기대T 정규반에서는 첨삭 문항에 대한 해설을 듣고 이를 바탕으로 답안을 쓴 후 제출을 한다.[10)]
이런 방식이라면 모든 수강생이 완벽한 답안을 써내지 않을까??

전혀 그렇지 않다.

'답안에서 이 논리가 빠지면 팥 없는 호빵, 페이커 없는 T1, 닭다리 없는 치킨' 이라며 수업 중에 분명하게 강조하고, 심지어 중요도에 따라 여러 번 반복하여 언급함에도 불구하고 그 논리를 온전히 담은 완벽한 답안을 제출하는 학생들은 고작 25% 수준이다.[11)]

해설을 들었음에도 불구하고 첨삭할 내용이 많은 답안을 제출하게 되는 이유는 뭘까??

첫 번째, 그 문제에 대한 이해가 온전히 되지 않은 경우이다.
선생님의 해설에 이끌려 고개만 끄덕이다가 왜 그 논리가 이 답안의 핵심이 되는지 이해하지 않고 암기만 한 케이스.
특히, 수학 문제를 논리가 아닌 감으로 접근하여 푸는 학생들의 경우 이런 현상이 자주 일어난다.
(이 문제점을 해결한다면 수능수학 실력도 가파르게 상승 가능)

두 번째, 머리는 문제를 온전히 이해했음에도 그것을 답안화 하지 못하는 경우다.
본인의 머릿속에는 해당 문제가 온전히 잘 풀려져 있을 수 있지만, 답안 채점자를 이해시키지 못한다면 말짱 도루묵이다.

이 두 문제점을 해결하기 위해서는 첨삭을 여러 번 받아보는 것이 좋으며,

1. 수리논술 공부 초기의 답안은 최대한 한글로 풀어서 쓰기
2. 본인이 쓴 답안을 일주일 뒤에 다시 읽으며 논리적 하자가 없는지 확인하기

를 유념하며 답안을 써보는 것이 큰 도움이 될 것이다.

결국 대학에게 채점을 당하는[12)] 우리의 답안은 최소한 시중 교재의 해설지보다는 친절해야 함을 잊지 말자.

10) 문제를 못 풀어서 백지로 답안을 내면, 학생이 첨삭을 받을 수 없기 때문
11) 수업 초창기 기준 수치. 첨삭을 보통 10번 정도 받아보면 많이 고쳐진다.
12) 어감이 좋진 않지만, 공부할 땐 잠시 T가 되도록 하자. 입시에서의 수험생은 대학의 평가를 당하는 '을'임을 간과하면 안되며, 술술 읽히는 답안을 통해 대학이 탐내는 인재임을 어필한 수험생임을 보여줘야만 대학이 모시고 싶은 '갑'이 될 수 있다.

Show
and
Prove

1-2

답안작성 Tip

1. 답안의 마지막은 항상 '문제에서 묻는 것으로 마무리'

문제에선 A를 묻고 있는데 이와 비슷한 A′ 으로 답을 하고 마무리 짓는 실수들을 많이 한다.
〈예제 2〉의 변형 문제로 알아보자.

예제 2 ☆☆☆☆☆ 변형문제

부등식 $2n-10>n-5$을 만족시키는 자연수 n의 해가 무수히 많음을 보이시오.

연습지

해설 2

$2n-10>n-5 \Leftrightarrow n>5$ 이므로 (a) 위 부등식은 6 이상의 자연수 n에 대하여 항상 성립한다.
(b) 따라서 위 부등식의 자연수 해는 무수히 많다.

'(a)이면 (b)이다' 라는 명제가 너무 자명한 나머지 (a)에서 답안을 멈추는 경우가 생기는데, 문제에서 묻는 것을 답하는 (b)까지 반드시 적어주는 것이 좋다.
저 자명함이 문제에 따라 나에게만 자명하고 채점관에겐 자명하지 않을 수 있기 때문이다.

답안이 긴 어려운 문제일수록 '거의 다 왔다.'는 안도감 때문에 발생하는 실수이니 유의하도록 하자.

2. 답안 논리에 필요한 필수개념은 필수언급

$g(0)=-\frac{1}{2}$, $g(1)=\frac{1}{2}$ 로 $g(0) \neq g(1)$ 이고, 함수 ~~$f(x)$~~가 *

닫힌구간 $[0,1]$에서 연속이고, 열린구간 $(0,1)$에서 미분가능 하므로 **

$g(c)=0$ 인 실근 c가 열린구간 $(0,1)$에 적어도 하나 존재한다 ***

위 첨삭 내용은 (*)에서 $g(0)g(1) < 0$이기 때문에 사잇값 정리에 의하여 방정식 $g(x)=0$의 해가 적어도 하나 있다는 논리를 전개한 답안이다.

하지만 본 답안에는 사잇값 정리를 언급하지 않았다. 문제풀이의 핵심개념이기 때문에 치명적인 감점이 우려되는데, 과연 이 학생이 사잇값 정리를 몰랐을까?
전혀 그렇지 않다. 사잇값 정리를 몰랐다면 이런 식의 풀이방향을 떠올리지도 못했을 것이다.
사잇값 정리를 잘 알고 있고, 문제풀이에 잘 활용했지만, 답안을 옮기는 과정에서 사잇값 정리에 대한 언급을 빼먹었기 때문에 감점의 위험이 있는 답안이 되겠다.

우리는 수리논술 공부를 하며 문제를 많이 푸는 것도 중요하지만, 답안을 많이 써보면서 본인이 위와 같은 실수를 하지 않으며 답안을 쓸 수 있는지 꾸준히 확인을 해줘야 한다. (자가첨삭[13]의 중요성)

| 논리에 필요 없는 부분은 작성하지 않도록 유의

앞선 첨삭 내용에서 물결로 밑줄 친 부분 (**)은 답안에 작성될 필요가 없다.
왜냐하면 사잇값 정리를 쓰기 위해서 미분까지 가능할 필요는 없기 때문이다. (연속만 보장되면 충분함)
뭐라도 더 쓰면 답안에 도움이 된다는 속설이 있는데, 이런 경우엔 오히려 본인 답안의 신뢰도를 떨어트리는 상황이 된다.[14]

물론 이번 내용은, 수리논술에서 꼭 해야 하는 사항 (강제되는 사항) 까지는 아니다.
'논리에 필요 없는 부분은 작성 No' 정도의 디테일은, 어차피 나의 경쟁자들도 잘 신경 쓰지 못한다.
하지만 이런 디테일까지 신경 써준다면 더 정확하고 체계적인 수학공부를 평소에도 할 수 있는 원동력이 된다.

13) 수능으로 치면 검토에 해당한다.

14) 정확히 알지 못하기 때문에 아는 것을 다 썼다고 생각하게 됨

3. 수리논술에서의 부분 점수

수능은 10번 중난도 문제를 암산 5초컷으로 풀고 30번 고난도 문제를 마지막 계산실수로 틀린 학생은 4+0=4점을 획득하지만, 10번 중난도 문제를 아예 못 풀어내고 30번을 찍어 맞춘 학생 역시 0+4=4점으로 점수가 서로 같다.

하지만 논술에서는 풀이를 채점하는 시험이기 때문에, 앞 학생과 뒷 학생의 점수 차이는 엄청나다.

따라서, 수능과 논술을 대하는 자세는 반드시 달라야 한다.

수능은 한 번의 시험에서 고득점을 받기 위해 '정답을 내는 마지막 계산까지도 완벽'해야 했지만,
논술은 내가 아는 것에 대한 부분점수를 많이 챙기는 것으로 부족한 수학실력을 커버할 수 있다는 생각을 갖는 것이 아주 좋은 수리논술 합격 마인드이자 Tip[15]이다.

| 이로 인한 오개념

"부분점수를 챙기는게 중요하다고?? 그럼 뭐라도 (이것을 소설이라 하겠다) 답안을 적어 내는게 도움 되겠네!"

라고 생각하기 쉽다.
물론, 답안이 백지인 것 보다는 소설을 적는 게 도움이 되는 것은 사실이다. 우리 수업에서도 이러한 소설이 정설로 읽히게끔 써내는 답안 작성 센스를 전수하기도 한다. 문제에 대한 미숙한 이해 혹은 답안 쓰기가 막막한 경우 써먹을 수 있는 답안 작성 Tip 같은 것들 말이다.

하지만, 본인이 답안의 50% 정도를 쓴 상태에서 그 뒤를 앞 답안과 관련된 소설로 채워 넣는 경우 오히려 앞 답안에 있는 사소한 실수 혹은 논리적 비약을 돋보이게 하는 자충수가 될 수 있음을 인지할 필요가 있다.

예를 들어보자. 다음과 같이 두 연속함수 $h_1(x)$, $h_2(x)$의 미분가능성을 묻는 문제가 있다.

$$h_1(x)=\begin{cases}2x-1 & (x\ge 1)\\ x^2 & (x<1)\end{cases}$$ 의 $x=1$에서의 미분가능성을 판단하시오.

&

$$h_2(x)=\begin{cases}\sqrt{x}\,\sin x & (x\ge 0)\\ x^2 & (x<0)\end{cases}$$ 의 $x=0$에서의 미분가능성을 판단하시오.

원래는 미분계수의 정의를 이용한 엄밀한 답안을 추천하지만, 함수 $h_1(x)$의 미분가능성 판단시 우리가 수능에서 하던 대로

'위아래 식을 각각 미분한 후 $x=1$을 넣은 값이 2로 같으므로 함수 $h_1(x)$은 $x=1$에서 미분가능하다.'

는 뉘앙스로 답안을 간단하게 작성했다고 하더라도, 채점자는 '간단한 문제이기에 덜 엄밀해도 돼.' 라고 판단하며 감점 없이 넘겼을 수 있다.
함수 $h_1(x)$은 수능 2점 문제에서나 볼법한 쉬운 함수이니까.

15) 또 다른 합격 Tip으로는 학생들이 많이 공부하지 않는 확률과 통계, 기하를 잘 공부해두는 것이 있다.
이 두 분야를 제외한 문제들은 기초 수학실력에 비례하여 풀리는 경우가 많으나, 확통과 기하는 대부분 학교 내신으로 공부한게 전부이기 때문에 수능 1등급이나 수능 4등급이나 별 차이가 없다.
미적/확통/기하 각각 1문제씩 나오는 대학 논술 시험에서 미적분 실력이 밀려도 확통/기하를 풀면 미적분만 겁나 잘하는 학생을 가볍게 이길 수 있는 시험임을 명심하자.

한편 함수 $h_2(x)$도 위와 같은 방법으로 위아래 식을 각각 미분한 후 $x=0$을 넣어보려는데
$(\sqrt{x}\sin x)' = \frac{\sin x}{2\sqrt{x}} + \sqrt{x}\cos x$ 의 분모에 있는 $\sqrt{x}$ 때문에 $x=0$ 대입이 불가능하다는 것을 알 수 있다.

그러면 여기서 답안을 멈추고 다른 문제로 넘어가면 되는데, 여기서 부분점수를 노리는 소설이 문제가 될 수 있다.
이런 문제 유형에서 흔히 남용되는 소설은

$$h_2{}'(x) = \begin{cases} \frac{\sin x}{2\sqrt{x}} + \sqrt{x}\cos x & (x>0) \\ 2x & (x<0) \end{cases} \text{ 에서}$$

$\lim_{x\to 0}\{h_2{}'(x)\} = 0$ 이므로 $h_2{}'(0)=0$, 즉 $x=0$에서 $h_2(x)$는 미분가능하다.

라며 도함수의 극한 (미분가능성을 판단하는 대표적인 오개념)을 이용한 답안일 가능성이 높다.
이런 소설을 써서 제출한다면 채점자는 $h_1(x)$도 저런 오개념을 이용하여 미분가능성을 판단했을 것이라고 생각할 수 있다. 즉, '이건 쉬운 거니까 가볍게 쓴 거지?? 믿고 넘어간다!' 라고 했던 함수 $h_1(x)$에 대한 답안을 불신하게 될 수 있다는 뜻이다.

| 종합

물론 이번 내용은 저자의 뇌피셜이 강한 칼럼인 것은 맞다. 채점기준은 채바채, 학바학[16]이기도 하지만, 상식적인 측면에서 바라봤을 때 충분히 일어날 수 있는 시나리오라고 생각한다. 판단은 여러분 몫에 맡긴다.

아, 그래서 해결책을 내놓고 가라고??

많은 소설을 써보고, 그 소설에 대한 정당성을 판단 받는 첨삭을 받아보며 전문가에게 여러 번 깨져보며 영점조절을 해나가는 것이 유일한 방법이라 생각한다.

16) 채점자 by 채점자, 학교 by 학교

4. 문제 풀이에 필요한 값들 혹은 보조정리들은 미리 구해두거나 증명 해두기

어떤 문제를 풀 때 자주 쓰이는 보조정리나 논리 전개에 필요한 보조정리는 미리 증명한 후 네이밍을 붙여준다면, 보다 더 깔끔한 답안을 쓸 수 있다. 다음 예제와 해설을 통해 확인해보자.

예제 4 ★★☆☆☆ 연습문제

제시문

〈가〉

삼차방정식 $\alpha x^3+\beta x^2+\gamma x+\delta=0$의 세 실근의 합은 $-\dfrac{\beta}{\alpha}$ 이다.[17)]

〈나〉

최고차항의 계수가 1인 삼차함수 $f(x)$에 대하여 곡선 $y=f(x)$가 y축과 만나는 점을 A라 하자. 곡선 $y=f(x)$ 위의 점 A에서의 접선을 l이라 할 때, 직선 l이 곡선 $y=f(x)$와 만나는 점 중에서 A가 아닌 점을 B라 하자. 또, 곡선 $y=f(x)$ 위의 점 B에서의 접선을 m이라 할 때, 직선 m이 곡선 $y=f(x)$와 만나는 점 중에서 B가 아닌 점을 C라 하자. 두 직선 l, m이 서로 수직이고 직선 m의 방정식이 $y=x$ 이다.

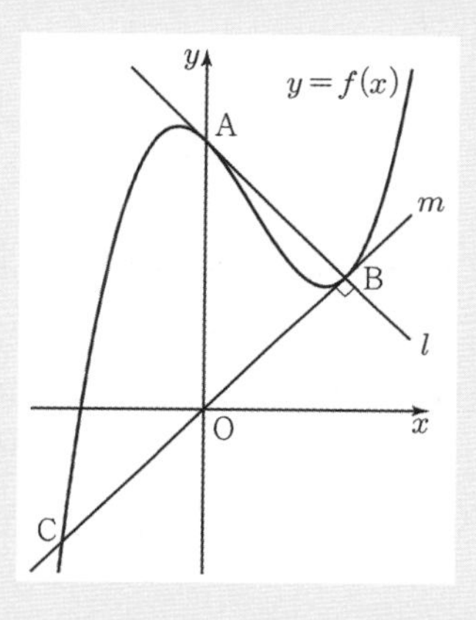

제시문 〈가〉, 〈나〉를 이용하여 $f(0)$의 값을 구하시오. (단, $f(0)>0$ 이다.)

연습지

17) 참고로 삼차 이상 방정식에서의 근과 계수의 관계는 교과과정외 이지만, 교과과정이었던 시절이 워낙 길었기 때문에 교수님들은 교과과정으로 알고 출제하는 경우가 많다. 제시문으로 주어지지 않아도 삼차 이상 방정식에서의 근과 계수의 관계를 굳이 따로 증명할 필요는 없다.

해설 4

기대T 추천답안)

삼차함수 $f(x)=ax^3+bx^2+cx+d$와 임의의 일차함수 $g(x)=px+q$에 대하여

방정식 $f(x)=g(x) \Leftrightarrow ax^3+bx^2+(c-p)x+(d-q)=0$의 서로 다른 세 근의 합은 제시문 〈가〉에 의하여 p, q에 관계없이 $-\dfrac{b}{a}$로 항상 일정하다. ⋯ ①

또한 직선 m : $y=x$과 수직인 직선 l의 기울기는 -1이므로 $f'(0)=-1$임을 알 수 있다. ⋯ ②

한편 직선 m의 방정식이 $y=x$ 이므로, 점 B, C좌표를 (b', b'), (c', c') (단, $c'<0<b'$) 라 하면

$y=f(x)$와 직선 l을 연립한 방정식의 서로 다른 세 근의 합은 $0+0+b'=b'$ 이다.

①에 의해 $y=f(x)$와 직선 m을 연립한 방정식의 서로 다른 세 근의 합 역시 b'여야 하므로

$b'+b'+c'=b'$, $c'=-b'$ 이다.

$\therefore\ f(x)-x=(x-b')^2(x-c')$

$=(x-b')^2(x+b')$

이고, 양변을 미분한 후 $x=0$을 대입하면 $f'(0)-1=-b'^2$이다.

$\therefore\ b'=\sqrt{2}$ ($\because$ ②) 이고 $f(0)=2\sqrt{2}$ 이다.

일반적인 답안)

직선 m의 방정식이 $y=x$ 이므로, 점 B, C좌표를 (b, b), (c, c) (단, $c<0<b$) 라 하면

$y=f(x)$와 직선 l을 연립한 방정식의 서로 다른 세 근의 합은 $0+0+b=b$ 이다.

<u>삼차함수 $f(x)=ax^3+bx^2+cx+d$와 임의의 일차함수 $g(x)=px+q$에 대하여</u>

<u>방정식 $f(x)=g(x) \Leftrightarrow ax^3+bx^2+(c-p)x+(d-q)=0$의 서로 다른 세 근의 합은 제시문 〈가〉에 의하여 p, q에 관계없이 항상 일정하므로, $y=f(x)$와 직선 m을 연립한 방정식의 서로 다른 세 근의 합 역시 b여야 한다</u>. 따라서

$b+b+c=b$, $c=-b$ 이다.

$\therefore\ f(x)-x=(x-b)^2(x-c)$

$=(x-b)^2(x+b)$ ⋯ ③

<u>또한 직선 m : $y=x$과 수직인 직선 l의 기울기는 -1이므로 $f'(0)=-1$이다</u>. 따라서

양변을 ③ 식을 미분한 후 $x=0$을 대입하면 $f'(0)-1=-b^2$이다.

$\therefore\ b=\sqrt{2}$ 이고 $f(0)=2\sqrt{2}$ 이다.

수능에서 실전개념으로 자주 쓰이는 사실을 ①에서 증명해주고, $f'(0)=-1$임을 ②에서 미리 언급해준다면 설명의 흐름을 끊지 않는 매끈한 답안을 쓰기 좋다.

①과 ②에 대한 설명을 하느라 일반적인 답안에선 밑줄 친 부분이 필요했고, 이 부분이 약간 흐름을 끊는 느낌을 준다.

물론 두 답안 모두 논리적인 부족함은 없기 때문에 감점은 없다.
하지만 내 답안이 채점관에게 잘 읽히도록 쓰는 것만으로도 심리적 우위를 가져갈 수 있으니,
좋은 습관은 얼른 들여놓도록 하자.

5. 그래프 vs 수식

그래프 풀이가 우선이냐, 수식적 풀이가 우선이냐.

이것이 수능판에서 핫한 논쟁이 될 수 있는 이유는 단 하나. 수능은 풀이를 보지 않는 시험이기 때문이다.
정답이 맞냐 틀리냐로만 채점하는 시험이기 때문에, 풀이 과정에 대해 소홀한 '결과론적 풀이'가 힘을 받을 수 있는 구조이다.

아무리 풀이과정이 빈약하다고 반박하면 뭐하나.

'하지만 풀이가 빨랐쥬~ 정답도 맞았쥬~ 킹받쥬~'

해버리면 그만인 시험이란 것이 통탄스러울 뿐…★
(물론 수능에서도 최악의 공부 태도인 것이 분명하다. 이렇게 안일하게 공부하다가 수능날 미끄러져도 할 말 없음.)

하지만 논술은 과정에 대한 점수가 세세하게 나뉘어져 있기 때문에, 논리적 비약을 함축할 가능성이 높은 그래프 풀이는 감점을 유발할 수 있다.
따라서 수리논술을 공부할 때에는 모든 문제를 그래프 풀이보다는 수식적 풀이로 풀어보려는 노력을 할 필요가 있다.

그렇다고 그래프 풀이를 논술에서 아예 쓰지 말라는 것은 아니다. 문제를 파악하는 데에 그래프는 아주 효율적인 도구임은 틀림없고, 몇몇 문제들은 수식적으로는 풀 수 없는 문제들이 있을 수 있기 때문이다.
수식적 풀이는 현실적으로 불가능하고 그래프 풀이만 가능한 문제들도 나오기 때문에, 독자들은 다음 표의 전략대로 따라하면 된다.

	수식적 풀이 불가능	수식적 풀이 존재	수식적 풀이 복잡함
그래프 풀이 불가능	이럴 리가 없어!! 풀 수 없는 문제는 없으니, 다시 풀어보기	**수식으로 답안작성**	**수식으로 답안작성**
그래프 풀이 존재	그래프로 답안 작성	**수식으로 답안작성**	풀이의 복잡함의 차이가 극명한 경우는 그래프, 버틸만하면 **수식**
그래프 풀이 복잡함	울며 겨자 먹기로 그래프로 답안 작성 or 수식적 풀이 좀 더 탐구해보기	**수식으로 답안작성**	**수식으로 답안작성**

그래프 풀이와 수식적 풀이 둘 다 훌륭한 논술 답안풀이가 될 수 있지만, 둘 다 존재한다면 수식적 풀이가 훨씬 감점에서 자유롭다는 것만 명심하자.
그래프로 문제를 풀고 나서, 그 과정을 수식적으로 풀어써보려는 노력을 하다보면 그것이 수식적 풀이로 진화하여 완성되기도 한다.

아래 QR코드는 수능 최저 정답률을 기록한 문제인 171130의 그래프 풀이와 수식적 풀이에 대한 칼럼 영상이다.
만약 이것이 논술문제라면 저자 본인은 '처음부터 끝까지 수식적 풀이'로 답안을 작성했겠지만, 시간과 답안공간을 고려한 현실적 수험생용 답안(수식적 풀이로 시작하여 최종 단계에선 그래프 풀이로 계산 줄이기)을 제안한 영상이다.
학습에 참고하기 바란다.

도움영상

예제 5 ★★☆☆☆ 연습문제

구간 (a,b)에서 정의된 함수 $f(x)$에 대하여 $f''(x) \geq 0$일 때, 임의의 점 $(p,\ f(p))$에서 그은 접선 ℓ은 항상 곡선 $y=f(x)$ 보다 아래에 있음을 보이시오.

연습지

해설 5

$f''(x) \geq 0$라는 조건을 보고 아래로 볼록[18]인 $y=f(x)$를 대충 그려놓고 여러 점에서 접선을 그어보면서 '다 곡선 아래에 있네. 증명 끝!' 하는 그래프 답안을 적으면, 아래의 수식적 답안과 비교하여 유의미한 감점을 받을 수 있다.

[수식적 답안]

$f''(x) \geq 0$ 이므로 구간 $(a,\ b)$안에 있는 임의의 $\alpha,\ \beta\ (\alpha < \beta)$에 대하여 $f'(\alpha) \leq f'(\beta)$ 이다. ⋯ ①

(i) $x > p$ 일 때

평균값 정리에 의하여 $p < c < x$ 인 c가 존재하여 $\dfrac{f(x)-f(p)}{x-p} = f'(c)$ 이고 $f'(c) \geq f'(p)$ ($\because$ ①) 이므로 $\dfrac{f(x)-f(p)}{x-p} \geq f'(p)$, 즉 $f(x) \geq f(p)+f'(p)(x-p)$이다.

(ii) $x < p$ 일 때

평균값 정리에 의하여 $x < c < p$인 c가 존재하여 $\dfrac{f(x)-f(p)}{x-p} = f'(c)$ 이고 $f'(c) \leq f'(p)$ ($\because$ ①) 이므로 $\dfrac{f(x)-f(p)}{x-p} \leq f'(p)$, 즉 $f(x) \geq f(p)+f'(p)(x-p)$이다. ($\because\ x-p<0$)

한편 곡선 $y\ =\ f(x)$ 위의 점 $(p,f(p))$에서 그은 접선 ℓ의 식은 $y=f(p)+f'(p)(x-p)$ 으로 표현되므로, (i), (ii) 에 의해 접선 $\ell : y=f(p)+f'(p)(x-p)$은 항상 곡선 $y=f(x)$ 아래에 있음을 알 수 있다.

18) 심지어 $f''(x)=0$인 상수함수가 $f(x)$의 일부분이 될 수 있기 때문에, 이 문제에서 그래프 답안은 '오점이 많은 답안'이 될 수 있다.

수리논술 공부 Tip

1. 본 시리즈에 나오는 기본공식 증명들은 다 외우자.

수리논술이 어렵다고 생각하는 큰 이유 중 하나는 '내가 그런 생각이나 풀이를 어떻게 떠올려?' 라는 생각 때문이다. 이러한 생각이 드는 이유는 수리논술이 터무니없이 어렵게 출제되는 것 때문이라기 보다는, '과정의 이해'가 아닌 '결과 암기하기'에만 의존한 지금까지의 수능 공부 습관 때문이라 생각한다.

과정을 이해하며 수학공부를 하는 것이 왜 중요한지 알아보자.
아래 문제를 풀어본 후 다음 페이지의 해설을 봐보자.

예제 6 ★★★☆☆ 2022 인하대 모의

서로 다른 두 실수 a, b와 $f(a)=f(b)=0$인 임의의 다항함수 $f(x)$에 대하여

$$\int_a^b f(x)dx = \int_a^b g(x)f''(x)dx$$

를 만족시키는 이차함수 $g(x)$는 $g(x)=\frac{1}{2}(x-a)(x-b)$ 임이 알려져 있다. … ①

임의의 다항함수 $h(x)$와 $g(x)=\frac{1}{2}(x-a)(x-b)$에 대하여

$$\int_a^b h(x)dx = \frac{(h(a)+h(b))(b-a)}{2} + \int_a^b g(x)h''(x)dx$$

임을 ①을 이용하여 보이시오. (제시문 생략 버전)

연습지

해설 6

$f(x)=h(x)-\left\{\frac{h(b)-h(a)}{b-a}(x-a)+h(a)\right\}$라 하면 $f(a)=f(b)=0$ 이므로, 문제의 ① 식에 밑줄 식에 대입하여 계산하면

(계~산~과~정)

(계~산~과~정)

이므로 $\int_a^b h(x)dx=\frac{(h(a)+h(b))(b-a)}{2}+\int_a^b g(x)h''(x)dx$ 임을 알 수 있다.

이 문제는 ①식에 대입하는 것이 어렵다기보다는, $f(x)=h(x)-\left\{\frac{h(b)-h(a)}{b-a}(x-a)+h(a)\right\}$ 임을 떠올리는 게 어려웠을 것이다.

이 Idea는 어떻게 떠올릴 수 있을까??
이는 이미 교과서에서 평균값의 정리를 증명하면서 제시된 Idea이다. 다음 증명에서 확인해보자.

증명

[평균값의 정리]
롤의 정리를 이용하여 평균값 정리를 증명하자.
두 점 $\mathrm{A}(a,\ f(a))$, $\mathrm{B}(b,\ f(b))$를 지나는 직선의 방정식을 $y=g(x)$라고 하면

$$g(x)=\frac{f(b)-f(a)}{b-a}(x-a)+f(a)$$

이다. 이때

$$i(x)=f(x)-g(x)=f(x)-\left\{\frac{f(b)-f(a)}{b-a}(x-a)+f(a)\right\}$$

라고 하면 함수 $i(x)$는 닫힌구간 $[a,\ b]$에서 연속이고, 열린구간 $(a,\ b)$에서 미분가능하며 $i(a)=i(b)=0$ 이다.

따라서 롤의 정리에 의하여

$$i'(c)=f'(c)-g'(c)=f'(c)-\frac{f(b)-f(a)}{b-a}=0$$

인 c가 열린구간 $(a,\ b)$에 적어도 하나 존재한다. 즉,

$$\frac{f(b)-f(a)}{b-a}=f'(c)$$

인 c가 열린구간 $(a,\ b)$에 적어도 하나 존재한다.

본 증명에 있는 Box 부분의 함수치환 뿐만 아니라 그 이후의 결과 $(i(a)=i(b)=0)$ 까지도 앞선 〈해설 6〉과 완전한 판박이 Idea임을 알 수 있다.

우리가 낯설게 느끼는 대부분의 Idea나 증명은 이미 우리가 교과서나 기출에서 경험해봤었던 Idea나 증명에서부터 시작되므로, 본 시리즈에서 제공하는 기본공식 증명은 전부 흡수하도록 하자.

2. 제시문은 너무 소중한 Hint

| 제시문 없는 학교

문제만 덜렁 던져주고 '어디 한 번 풀어봐!' Style 이기 때문에, 까다롭다고 평가되는 학교들의 특징이다.
문항에 대한 Hint은 적지만, 학교별로 자주 출제하는 스타일이나 문제풀이 Idea 유형은 분명히 있기 때문에 이를 잘 짚어주는 후반기 학교별 Final을 수강하는 것이 좋다.

| 제시문 있는 학교

문제풀이에 사용되는 교과개념이나 문제풀이의 핵심 Key를 제시문에서 알려준다. 하지만 대부분의 학생들은 제시문을 너무 쉽게 무시해버리는 경우가 있는데, 이는 주어진 Hint를 직접 걷어차는 꼴이다.

전 페이지에서 본 〈예제 6〉은 제시문 삭제 버전인데, 아래 제시문이 〈예제 6〉과 같이 붙어있다고 생각하고 문제를 다시 봐보자.

제시문

$x_1 \neq x_2$일 때, 두 점 $(x_1,\ y_1)$, $(x_2,\ y_2)$를 지나는 직선의 방정식은

$$y - y_1 = \frac{y_2 - y_1}{x_2 - x_1}(x - x_1)$$

뜬금없이 제시문에 직선의 방정식이 주어졌다.
과연, 출제진은 학생들이 직선의 방정식을 모를 것 같아서 제시문을 준 걸까?

당연히 아닐 것이다. 그럼에도 제시문을 준 이유는??

〈해설 6〉의 핵심 Idea였던 $f(x) = h(x) - \left\{ \frac{h(b) - h(a)}{b - a}(x - a) + h(a) \right\}$ 에서 직선의 방정식 part인 $\frac{h(b) - h(a)}{b - a}(x - a) + h(a)$를 떠올리는 데에 도움이 되라고 준 출제진의 배려[19]이다.
이 배려를 눈치채고 잘 활용하는 것 역시 수리논술 실력이라 할 수 있다.

TIP

'난 하드코어 모드로 공부하겠어. 제시문이 나와도 공부할 땐 우선 무시!!' 하는 자세 역시 좋지 않다.
제시문을 문제에 맞게 잘 성형해서 생각의 물꼬를 트는 연습도 필요하기 때문이다.
반대로, '내가 지원하는 학교들은 다 제시문 주더라. 제시문 없는 어려운 문제는 풀지 않겠어.' 역시 좋지 않다.
평소엔 제시문이 친절하다가 당해 시험에서는 친절하지 않을 수도 있기 때문이다.
수능이든 논술이든 '배제'는 좋지 않다. 모든 Case에 대비해서 공부하도록 하자.

19) 학교별성향에 따라 제시문 제공여부 혹은 배려의 깊이 정도가 다 다름을 인지하자.

3. 선천적 오개념과 후천적 오개념

| 선천적 오개념

수험생의 90% 이상이 가질 수 있는 합리적인 오개념을 뜻한다. 예를 들어,

'1보다 작은 양수를 무한번 곱하면 0으로 갈 것이다.'

와 같은 명제가 있다. 얼핏 보면 맞는 명제인 것 같지만 실제로는 틀린 명제이다.

모든 자연수 n에 대하여 $1-\dfrac{1}{n}$은 분명 1보다 작은 수이지만, 이를 n번 곱한 식의 극한값은 $\lim\limits_{n\to\infty}\left(1-\dfrac{1}{n}\right)^n=\dfrac{1}{e}$ 이다.

따라서 위 명제는 잘못된 명제, 즉 선천적 오개념이다.

이러한 선천적 오개념들은 누구나 가지고 있을법한 오개념이므로, 공부를 해가면서 고치면 된다.

그리고 몇몇 선천적 오개념들은 너무 지엽적이라 여러분이 걱정할 수 있는데, 이런 것들은 못 고치더라도 큰 걱정을 할 필요는 없다. 나와 같은 시험을 보는 경쟁자들도 같은 오개념을 갖고 있다면, 어차피 모두가 같은 감점을 받을 것이기 때문에 나의 합격 가능성에는 영향을 주지는 않을 테니 말이다.

물론 '다 같이 틀리자!!'고 선동하는 것은 아니다. 군계일학이 될 수 있는 좋은 기회이지만, 뒤에서 나올 후천적 오개념만큼 치명적이지는 않다라고 얘기하는 것!

예제 7 ★★★☆☆ 2022 중앙대

함수 $f(x)=\dfrac{cx+1}{dx+1}$ 에 대하여 $(f\circ f\circ f)(x)=x$ 을 만족하는 실수 x 가 무한히 많이 있다.

이때 d 의 최댓값을 구하시오. (단, c, d 는 실수이다.)

연습지

해설 7

합성함수의 정의를 적용하여

$$(f \circ f)(x) = f(f(x)) = \frac{c\left(\dfrac{cx+1}{dx+1}\right)+1}{d\left(\dfrac{cx+1}{dx+1}\right)+1} = \frac{(c^2+d)x+(c+1)}{d(c+1)x+(d+1)}$$

이 됨을 알 수 있고 이로부터

$$(f \circ f \circ f)(x) = (f \circ f)(f(x)) = \frac{(c^3+2cd+d)x+(c^2+c+d+1)}{d(c^2+c+d+1)x+(cd+2d+1)}$$

를 얻는다.

> 한편, $(f \circ f \circ f)(x) = x$가 무한히 많은 실수 x에 대하여 성립하므로
> $$d(c^2+c+d+1)x^2+(cd+2d+1)x = (c^3+2cd+d)x+(c^2+c+d+1)$$
> 가 항등식이다.

따라서 $d(c^2+c+d+1)=0$, $cd+2d+1=c^3+2cd+d$, $c^2+c+d+1=0$

를 얻는다. 이를 정리하면 $d=-c^2-c-1$의 조건을 얻고, 이를 대입하면 다른 조건들도 만족시킴을 알 수 있다.

따라서 $d=-c^2-c-1=-\left(c+\dfrac{1}{2}\right)^2-\dfrac{3}{4}$로부터 $c=-\dfrac{1}{2}$일 때 d가 최대이고 이때 $d=-\dfrac{3}{4}$이다.

위 해설은 학교에서 제공한 해설로, Box 부분을 신경 쓸 필요가 있다.
무한히 많은 실수 x에 대하여 성립하는 식이라는 조건과 항등식이라는 조건이 서로 필요충분조건이 아니다.
예를 들어, 방정식 $\sin x = \dfrac{1}{3}$의 해는 무한히 많지만 항등식이 아니다. 즉,

'항등식이면 무한히 많은 실수 x에 대하여 성립하는 식' 이라는 명제는 맞지만,
'무한히 많은 실수 x에 대하여 성립하는 식이면 항등식' 이라는 명제는 틀렸다.

하지만 해설의 Box 부분은 후자의 명제를 포함하는 듯한 뉘앙스를 약간 풍기는 느낌이라,
저자의 개인적인 생각으로는 Box 부분을 다음과 같이 보강해야 한다고 생각한다.

> $(f \circ f \circ f)(x) = x$를 정리하면
> $$d(c^2+c+d+1)x^2+(cd+2d+1)x = (c^3+2cd+d)x+(c^2+c+d+1)$$
> 인데, 이 식이 n차 다항방정식이면 이 식을 만족시키는 x가 최대 n개이므로 이는 준식을 만족시키는 실수 x가 무한히 많이 있다라는 조건에 모순이다.
> 따라서 항등식이어야 한다.

문제를 출제한 대학조차 이견이 생길 수 있는 답안을 예시답안으로 제시한 만큼, 이 부분을 꼬집어 답안을 쓸 수 있는 수험생은 거의 없을 것이다.

즉, 이러한 선천적 오개념은 그렇게 치명적이지 않으므로, 너무 스트레스를 받지는 말 것!

본인이 정 이것마저도 완벽하고 싶은 욕심을 가지고 있다면, 첨삭 때마다 지적되는 포인트들은 고쳐보려고 노력을 하는 것으로 충분하다.

| 후천적 오개념

선천적 오개념과는 달리, 내신 혹은 수능 공부를 하면서 문제를 빨리 풀기 위한 '문제풀이 도구나 스킬'에 의해 생긴 후천적 오개념은 항상 경계하며 공부해야 한다. 제대로 수학을 공부한 학생이라면 있을 수 없는 오개념이므로, 이 오개념은 공부를 엉터리로 한 나만 갖고 있는 오개념, 즉

나만 감점 당할 수 있는 아킬레스건

이 될 수 있는 치명적인 오개념이다. 이러한 후천적 오개념은 대부분 정확한 논리가 아닌 감에 의존하여 공부하는 학생들에게 많이 생긴다.

이것의 예시로는

'미분가능한 함수 $f(x)$에 대하여 $\dfrac{f(b)-f(a)}{b-a}=f'(c)$인 $(a,\ b)$가 항상 존재한다.'

라는 명제가 있다.
얼핏 보기에는 일반적인 평균값의 정리로 착각할 수 있지만, 이는 평균값의 정리가 아니라 오개념이다.

(반례 : $f(x)=x^3$, $c=0$일 때, $\dfrac{f(b)-f(a)}{b-a}=f'(c)$를 만족시키는 순서쌍 $(a,\ b)$가 존재하지 않는다.)

진짜 평균값의 정리는

'미분가능한 함수 $f(x)$에 대하여 $\dfrac{f(b)-f(a)}{b-a}=f'(c)$인 $a<c<b$가 항상 존재한다.'

이다.

누군가는 '선생님, 이런 걸 누가 이렇게 잘못 알고 있나요~ 저는 제대로 알고 있습니다.' 라고 할 수 있다.
하지만 그런 학생들 중 최소 절반 이상 역시 이 오개념을 갖고 있는 경우가 많다.
[2편]에서 본격적으로 소개할 문제이겠지만, 미리 스포일러를 당해보도록 하자.

| 연습문제 1 2016 9월 평가원 30번

어떤 양수 k에 대하여 함수 $f(x)=k(x^2-2x-1)e^x$ 은 다음 조건을 만족시킨다.

> $0 \le a < b$ 인 임의의 두 실수 $a,\ b$에 대하여 $f(b)-f(a)+b-a \ \ge\ 0$이다.

가능한 k의 범위를 구하시오. (미적분 학습이 안된 학생들은 Box 조건만 해석 해보세요.)

방금 문제에 대한 한 학생의 잘못된 풀이다.

“

조건의 부등식을 변형하면 $f(b)-f(a)+b-a \geq 0 \Leftrightarrow \dfrac{f(b)-f(a)}{b-a}+1 \geq 0 \Leftrightarrow \dfrac{f(b)-f(a)}{b-a} \geq -1$

평균값의 정리에 의하여 $\dfrac{f(a)-f(a)}{b-a}=f'(c)$인 c가 구간 $(a,\ b)$ 사이에 적어도 하나 존재하므로

$f'(c) \geq -1$ 임을 알 수 있다. 이때 $0 \leq a < c < b$ 이므로,

$f'(c) \geq -1$라는 조건은 $x>0$일 때 $f'(x) \geq -1$과 동치이다.

”

위 풀이를 뒷받침하는 논리는

“

위 부등식이 $0 \leq a < b$인 임의의 두 실수 $a,\ b$에 대하여 성립하므로

$a,\ b$의 모든 조합을 통해 모든 양수의 값을 c의 값으로 만들어 낼 수 있다.

따라서 $f'(c) \geq -1$는 $f'(x) \geq -1$가 된다.

”

라는 논리다. 얼핏 보면 맞는 말 같지만, 앞 페이지에서 오개념이라고 했던 문장과 정확히 일맥상통한다.

우리는 이렇듯 아무렇지 않게 후천적 오개념을 활용하고 있었을지도 모른다. 하지만 수능은 정답만 묻는 시험이기 때문에, 후천적 오개념이 오개념인지 모르고 넘어갔을 가능성이 매우 높다.
이를 방지하기 위해서는 수능도 풀이를 논리적으로 분석해보는 습관을 들이면 좋다.

아래 연습문제도 Box 부분을 해석해보고, 아래 QR코드[20]의 강의를 통해 연습문제 1, 2에 대한 제대로 된 해석을 학습하자.

| 연습문제 2 2024 6월 평가원 22번

정수 $a\ (a \neq 0)$에 대하여 함수 $f(x)$를 $f(x)=x^3-2ax^2$ 이라 하자.
다음 조건을 만족시키는 모든 정수 k의 값의 곱이 -12가 되도록 하는 a가 -2 뿐임을 보이시오.

> 함수 $f(x)$에 대하여
>
> $$\left\{\frac{f(x_1)-f(x_2)}{x_1-x_2}\right\} \times \left\{\frac{f(x_2)-f(x_3)}{x_2-x_3}\right\} < 0$$
>
> 을 만족시키는 세 실수 $x_1,\ x_2,\ x_3$이 열린구간 $\left(k,\ k+\dfrac{3}{2}\right)$에 존재한다.

20) 여러 문제의 이해를 돕는 QR코드가 해설집에도 있다. 어려운 문제에 대한 해설을 돕는 강의가 있으니 참고하여 학습하도록 하자.

Show and Prove

1-4

Chapter 1. 수리논술 논리와 전개

실전 논제 풀어보기

- 해설집에 있는 논제에 대한 해설 중 어려운 부분의 이해를 도와주는 영상을 QR코드를 통해 볼 수 있습니다. 완벽한 해설 강의가 아니기 때문에, 시청 전에 해설을 먼저 읽어본 후 QR코드의 강의를 활용하기 바랍니다.
- 답안지 Box의 점선 줄은 다음과 같이 활용하세요.
  ⓐ 답안 첫 두 줄을 점선 줄 위에서부터 시작해서, 아래 답안들도 줄이 삐뚤어지지 않도록 맞춰 써보세요. 읽기 편한 글씨체와 줄 맞춰 쓰기는 채점관에게 좋은 인상의 답안이 되기 위한 기본기입니다 :)
  ⓑ 줄 맞춰 쓸 연습이 필요 없다면, 이 문제에 쓰이는 필수 Idea를 필기하는 용도로 활용하세요.

논제 1

★★★☆☆ 2022 연세대

spoiler

본 문항은 미적분 개념이 섞인 문항입니다. 다음 미적분 개념을 알고 있는 학생만 풀어보세요.

* $\lim_{n\to\infty}\left(1+\frac{1}{n}\right)^n = e$
* 모든 자연수 n에 대하여 $c_n < d_n < e_n$을 만족시키는 세 수열에 대해 $\lim_{n\to\infty} c_n = \lim_{n\to\infty} e_n = \alpha$ 이면 $\lim_{n\to\infty} d_n = \alpha$ 이다.

수열 $a_n = \frac{1}{\sqrt{n}}\left(1+\frac{1}{n}\right)^{-\frac{n}{2}}$ 에 대하여 수열 $\{b_n\}$은 $a_{n+1} < b_n < a_n$ 을 만족시킨다.
$\lim_{n\to\infty} \sqrt{n}\ln(1+b_n)$ 의 값을 구하시오.

연습지

답안지

★★★☆☆ 2020 숙명여대

제시문 일부

〈나〉 함수 $g(x)=\begin{cases}x\ (x\geq 0)\\0\ (x<0)\end{cases}$와 함수 f, $a<b$인 실수 a,b가 있다. 이 때, 모든 실수 x에 대하여

$$g(f(x)-a)+a\leq g(f(x)-b)+b\ \cdots ②$$

가 성립한다. 이는 다음과 같이 보일 수 있다.

먼저, $f(x)\geq b$이면 $f(x)\geq b>a$이므로

$g(f(x)-a)+a=f(x)-a+a=f(x)$이고 $g(f(x)-b)+b=f(x)-b+b=f(x)$이다.

이제 $a\leq f(x)<b$이면,

$g(f(x)-a)+a=f(x)-a+a=f(x)$ 이고 $g(f(x)-b)+b=b$이다.

마지막으로 $f(x)<a$이면 $f(x)<a<b$이므로,

$g(f(x)-a)+a=a$이고 $g(f(x)-b)+b=b$이다.

따라서, ②는 성립한다.

한편, 아래의 명제를 생각하자. 함수 f가 모든 실수 x에 대하여

$$g(f(x)-2)+2\leq g(f(x)-1)+1$$

을 만족시키는 것은 모든 실수 x에 대하여 $f(x)\geq 2$이기 위한 필요충분조건이다. … ③

명제 ③은 ②를 이용하여 다음과 같이 보일 수 있다. 함수 f가 모든 실수 x에 대하여

$$g(f(x)-2)+2\leq g(f(x)-1)+1\quad\cdots ④$$

을 만족시킨다고 하자. 결론을 부정하여 어떤 실수 c에 대하여 $f(c)<2$라고 가정하자.

④에 의하여 $g(f(c)-2)+2\leq g(f(c)-1)+1$이고, ②에 의하여

$g(f(c)-1)+1\leq g(f(c)-2)+2$이므로, $g(f(c)-2)+2=g(f(c)-1)+1$이다.

이것은 모순임을 보일 수 있다. 따라서 모든 실수 x에 대하여 $f(x)\geq 2$이다.

역으로 모든 실수 x에 대하여 $f(x)\geq 2$이면, 모든 실수 x에 대하여

$g(f(x)-2)+2\leq g(f(x)-1)+1$이 성립함도 보일 수 있다.

제시문 〈나〉를 읽고 함수 $h(x)=\begin{cases}0\ (x>0)\\x\ (x\leq 0)\end{cases}$에 대한 다음 문제에 답하시오.

[1] 임의의 함수 f와 임의의 실수 a,b에 대하여, $a<b$이면 모든 실수 x에 대하여

$$h(f(x)-a)+a\leq h(f(x)-b)+b$$

가 성립함을 보이시오.

[2] 함수 f가 모든 실수 x에 대하여

$$h(f(x)-7)+7\leq h(f(x)-5)+5$$

를 만족시키는 것은 모든 실수 x에 대하여 $f(x)\leq 5$이기 위한 필요충분조건임을 보이시오.

답안지

논제 3

★★★☆☆ 2022 세종대

spoiler

본 문항은 미적분 개념이 섞인 문항입니다. 다음 미적분 개념을 알고 있는 학생만 풀어보세요.

- $(e^x)' = e^x$ / $\lim_{x\to\infty} e^x = \infty$ / 자연수 n에 대하여 $\lim_{x\to-\infty} x^n e^x = 0$
- 변곡점은 이계도함수의 부호가 바뀌는 지점이다.

제시문

최고차항의 계수가 1인 삼차함수 $f(x)$에 대하여 $g(x) = f(x)e^x$ 이라 정의할 때, 함수 $g(x)$는 다음 조건을 만족시킨다.

(가) 모든 실수 x에 대하여 $\int_1^x g(t)dt \ge 0$이다.

(나) $g(x)$는 $x = 3$에서 극솟값 0을 갖는다.

[1] $f(1) = 0$임을 보이시오.

[2] $g(x)$를 구하고 도함수와 이계도함수를 이용하여 곡선 $y = g(x)$의 개형을 좌표평면에 그리시오. 또한, 극대, 극소, 변곡점이 되는 x의 값을 모두 구하시오.

[3] 실수 t에 대하여 방정식 $g'(t) = \dfrac{g(x+1) - g(t)}{x - t}$를 만족시키는 서로 다른 실수 x의 개수를 $h(t)$라 정의하자. 구간 $[2,\ 3]$에 속하는 t 중에서 $h(t) = 2$를 만족시키는 t의 개수를 구하시오.

연습지

답안지

Show
and
Prove

기대T 수리논술 수업 상세안내

수업명	수업 상세 안내 (지난 수업 영상수강 가능)
정규반 프리시즌 (2월)	- 수리논술만의 특징인 '답안작성 능력'과 '증명 능력'을 향상 시키는 수업 - 수험생은 물론 강사도 가질 수 있는 '증명 오개념'을 타파시키는 수학 전공자의 수업
정규반 시즌1 (3월)	- 수능/내신 공부와 다른 수리논술 공부의 결 & 방향성을 잡아주는 수업 - 삼각함수 & 수열의 콜라보 등 논술형 발전성을 체감해볼 수 있는 실전 내용 수업
정규반 시즌2 (4~5월)	- 수리논술에서 50% 이상의 비중을 차지하는 수리논술용 미적분을 집중 해석하는 수업 - 수리논술에도 존재하는 행동 영역을 통해 고난도 문제의 체감 난이도를 낮춰주는 수업 - 대학의 모범답안을 보고도 '이런 아이디어를 내가 어떻게 생각해내지?'라는 생각이 드는 학생들도 납득 가능하고 감탄할 만한 문제접근법을 제시해주는 수업
정규반 시즌3 (6~7월)	- 상위권 대학의 합격 당락을 가르는 고난도 주제들을 총정리하는 수업 - 아래 학교의 수리논술 합격을 바라는 학생들이라면 강추 (메디컬, 고려, 연세, 한양, 서강, 서울시립, 경희, 이화, 숙명, 세종, 서울과기대, 인하)
선택과목 특강 (선택확통 / 선택기하)	- 수능/내신의 빈출 Point와의 괴리감이 제일 큰 두 과목인 확통/기하의 내용을 철저히 수리논술 빈출 Point에 맞게 피팅하여 다루는 Compact 강의 (영상 수강 전용 강의) - 확통/기하 각각 2~3강씩으로 구성된 실전+심화 수업 (교과서 개념 선제 학습 필요) - 상위권 학교 지원자들은 꼭 알아야 하는 필수내용 / 6월 또는 7월 내로 완강 추천
Semi Final (8월)	- 본인에게 유리한 출제 스타일인 학교를 탐색하여 원서지원부터 이기고 들어갈 수 있도록 태어난 새로운 수업 (모든 대학을 출제유형별로 A그룹~D그룹으로 분류 후 분석) - 최신기출 (작년 기출+올해 모의) 중 주요 문항 선별 통해 주요대학 최근 출제 경향 파악
고난도 문제풀이반 For 메디컬/고/연/서성한시	- 2월~8월 사이 배운 모든 수리논술 실전 개념들을 고난도 문제에 적용 해보는 수업 - 전형적인 고난도 문제부터 출제될 시 경쟁자와 차별될 수 있는 창의적 신유형 문제까지 다양하게 만나볼 수 있는 수업
학교별 Final (수능전 / 수능후)	- 학교별 고유 출제 스타일에 맞는 문제들만 정조준하여 분석하는 Final 수업 - 빈출 주제 특강 + 예상 문제 모의고사 응시 후 해설 & 첨삭 - 고승률 문제접근 Tip을 파악하기 쉽도록 기출 선별 자료집 제공 (학교별 상이)
첨삭	수업 형태 (현장 강의 수강, 온라인 수강) 상관없이 모든 학생들에게 첨삭이 제공됩니다. 1차 서면 첨삭 후 학생이 첨삭 내용을 제대로 이해했는지 확인하기 위해, 답안을 재작성하여 2차 대면 첨삭영상을 추가로 제공받을 수 있습니다. 이를 통해 학생은 6~10번 이내에 합격급으로 논리적인 답안을 쓸 수 있게 되며, 이후에는 문제풀이 Idea 흡수에 매진하면 됩니다.

정규반 안내사항 (아래 QR코드 참고)

대학별 Final 안내사항 (아래 QR코드 참고)

증명법

Show and Prove

2-1

직접증명법

| 직접증명법이란?

문제에서 주어진 조건들과 초.중.고 수학 지식으로부터 시작하여 (p)
체계적인 논리 전개를 통해 (이면)
보여야 할 결론 / 구해야 할 정답을 이끌어내는 직접적인 논증의 방식 (q이다.)

을 직접 증명법이라고 한다. 우리가 흔히 아는 논리 전개 방식이므로 어렵지 않다.

예제 1 ★★☆☆☆ 연습문제

$\sum_{n=1}^{\infty} \frac{1}{n}$이 무한대로 발산함을 보여라.

연습지

예제 2 ★☆☆☆☆ 연습문제

모든 실수 x에 대하여 $f'(x) > 0$일 때, $f(x)$가 증가함수임을 보이시오.

연습지

해설 1

$$\sum_{n=1}^{\infty}\frac{1}{n}=1+\frac{1}{2}+\left(\frac{1}{3}+\frac{1}{4}\right)+\left(\frac{1}{5}+\frac{1}{6}+\frac{1}{7}+\frac{1}{8}\right)+\frac{1}{9}+\frac{1}{10}+\cdots$$
$$>1+\frac{1}{2}+\left(\frac{1}{4}+\frac{1}{4}\right)+\left(\frac{1}{8}+\frac{1}{8}+\frac{1}{8}+\frac{1}{8}\right)+\left(\frac{1}{16}+\frac{1}{16}+\cdots\right.$$

$=1+\frac{1}{2}+\left(\frac{1}{2}\right)+\left(\frac{1}{2}\right)+\cdots$ 이므로 $\sum_{n=1}^{\infty}\frac{1}{n}$이 무한대로 발산한다.

해설 2

서로 다른 임의의 두 실수 a, b에 대하여 일반성을 잃지 않고[21] $b>a$ … ⓐ라 하자.

평균값의 정리에 의하여 $\frac{f(b)-f(a)}{b-a}=f'(c)$인 c가 구간 $(a,\ b)$ 사이에 항상 존재하는데, $f'(c)>0$이므로 ⓐ일 때 $f(b)>f(a)$ 임을 알 수 있다. 따라서 함수 $f(x)$는 증가함수[22]이다.

TIP

Q. 〈예제 2〉는 너무 당연한 명제인 것 같은데, 매번 이렇게 증명한 후 사용해야 하나요??

A. '당연한 명제'가 그 문제 내에서 차지하는 비중이 꽤 있다고 생각되는 경우에만 따로 증명해주면 된다.[23]
예제 2에서 '당연한 명제'의 비중은 100%이다. 이 증명이 전부인 문제이기 때문에 증명은 필수이다.
반면, 대부분의 문제에서 '당연한 명제'의 비중이 적으며, 이럴 땐 증명 없이 바로 사용해도 된다.

21) $a>b$라 해도 같은 방법으로 증가를 보일 수 있으므로 $b>a$ 일때만 보이는 것으로 충분할 때 사용하는 어구이다.

22) 증가의 정의가 도함수가 양수라는 조건으로 잘못 아는 경우가 있다. 증가의 정의는 $b>a$일 때 $f(b)>f(a)$ 이어야한다는 것이다. 미분과 상관없음 유의!

23) 굳이 수치화하면 25% 이상이고, 애매할 경우엔 증명을 적어주는 쪽으로 연습하면 된다.

2-2

Chapter 2. 증명법

간접증명법

수능에선 직접증명법으로 대부분의 문제들이 풀리지만, 그렇지 못한 문제들이 수리논술엔 자주 나온다.
이 경우 간접적으로 증명하는 간접증명법이 돌파구가 되기도 하는데, 대표적인 간접증명법에는
수학적 귀납법, 귀류법, 대우법이 있다.

TIP

간접증명법의 사용 타이밍은 다음과 같다.

1. 너무나도 당연하게도, 직접 증명법이 잘 안 먹힐 때 사용 (세 종류의 증명법 모두 해당)
2. 양자택일의 상황일 때 사용 (귀류법)
3. countable한 명제일 때 사용 (수학적 귀납법)
4. 문제의 조건이 그대로 써먹기 어려울 때, 조건의 변화를 주고 싶을 때 사용 (대우법)

먼저 수학적 귀납법부터 알아보자.

Show and Prove

2-3

수학적 귀납법

1. 수학적 귀납법의 비유와 적용시 주의사항

수학적 귀납법은 흔히 도미노에 비유된다. 모든 도미노를 쓰러뜨리기 위해선 다음 두 조건이 충족돼야 한다.

조건 1) 시작점의 도미노가 쓰러진다.
조건 2) 앞 도미노가 쓰러지면 뒤도 같이 쓰러진다.

이 두 조건이 잘 충족되는 도미노는 도미노의 개수와 관계없이 모든 도미노가 잘 쓰러질 거라 확신할 수 있다.

수학적 귀납법도 마찬가지이다. 첫 번째 명제가 잘 성립함을 보인 후, m번째 명제인 $p(m)$과 공리들을 이용하여 $(m+1)$번째 명제인 $p(m+1)$의 성립을 보인다면 연쇄작용에 의해 모든 자연수 n에 대하여 명제 $p(n)$이 항상 성립함을 보일 수 있을 것이다.

성공적인 수학적 귀납법이 완성되기 위해 만족시켜야 하는 두 조건을 표로 정리하면 다음과 같다.

	도미노	수학적 귀납법
조건 1	시작점의 도미노가 쓰러진다.	명제 $p(1)$이 성립한다.
조건 2	앞 도미노가 쓰러지면 뒤 도미노도 같이 쓰러진다.	명제 $p(m)$이 성립하면 명제 $p(m+1)$도 성립한다.

TIP

수학적 귀납법의 문법

Step.1 조건1 증명 ($n=1$ 증명)
작은 자연수에 대한 증명이기 때문에, 이 경우를 보이는 건 매우 쉽다. 직접 대입해서 증명하면 끝.[24)]

Step.2 조건2 증명 ($n=m$ 일 때 성립을 가정한 후 $n=m+1$ 증명)
$n=m$일 때 명제 $p(m)$이 성립함을 가정하고 이것과 기존의 공리들을 이용해서 $p(m+1)$이 성립함을 증명한다.

Step.3 증명 마무리
따라서 수학적 귀납법에 의해 모든 자연수 n에 대하여 $p(n)$이 성립한다.
라는 문장으로 마무리한다.

이 세 요소를 답안에 적용시키는 것을 '수학적 귀납법의 문법을 지킨다.' 라고 표현하겠다.

24) 어떤 명제가 n이 3 이상일 때 성립한다고 하면 Step.1의 시작은 $n=3$일 때로 해야할 거란 융통성은 있죠?? 노파심에...

| 수학적 귀납법 주의사항

- $p(m)$이 성립한다는 '우리에게 없던 조건'이 추가로 부여된 것이 수학적 귀납법의 제일 큰 이점이다.
  그렇기 때문에, $n=m$일 때의 식이 성립함을 따로 보일 필요가 없다. 맞는 식이라고 무지성으로 우기면 된다.

- $n=m+1$일 때의 결과식을 이용하여 증명하는 경우가 있는데, 이는 잘못된 방법이다.[25]
  우리가 쓸 수 있는 건 $n=m$일 때의 식뿐임을 명심하자.
  그럼에도 불구하고 몇몇 강의에서 $n=m+1$일 때의 식을 먼저 적는 이유는,
  $n=m$ 일 때의 식에서 어떤 짓을 해서 $n=m+1$일 때를 증명할 수 있을지 감을 잡기 위해서 적는 것일 뿐이다. 이것은 $n=m+1$일 때의 결과를 이용하는 것과는 전혀 다른 것임을 다시 한 번 상기시키자.

예제 3 ★☆☆☆☆ 연습문제

모든 자연수 n에 대하여 등식

$$\sum_{k=1}^{n}\frac{k}{(k+2)!}\times 2^{k}=1-\frac{2^{n+1}}{(n+2)!}$$

이 성립함을 수학적 귀납법으로 증명하라.

연습지

25) 필요충분조건 단원에서 얘기한 것처럼, 문제에서 보이려하는 것을 미리 사용하는 것은 금기된다.

해설
3

i) $n=1$일 때,

$\sum_{k=1}^{1} \frac{k}{(k+2)!} \times 2^k = \frac{1}{3}$, $1-\frac{2^{1+1}}{(1+2)!} = \frac{1}{3}$ 이므로 준식은 성립한다.

ii) $n=m$일 때 문제의 준식이 성립한다고 가정하자.

양변에 $\frac{m+1}{(m+3)!} \times 2^{m+1}$을 더하면

(좌변)= $\sum_{k=1}^{m+1} \frac{k}{(k+2)!} \times 2^k$, (우변)= $1-\frac{2^{m+2}}{(m+3)!}$ 이므로 문제의 준식이 $n=m+1$일 때도 성립한다.

따라서 수학적 귀납법에 의하여 모든 자연수 n에 대하여 준식이 항상 성립한다.

위 해설에서 수학적 귀납법의 문법이 잘 지켜졌는지 확인해보자.

TIP

ii)에서 (우변)은 $1-\frac{2^{m+1}}{(m+2)!}+\frac{m+1}{(m+3)!} \times 2^{m+1}$을 연산하여 나온 결과인데

1 뒤의 두 분수 $-\frac{2^{m+1}}{(m+2)!}+\frac{m+1}{(m+3)!} \times 2^{m+1}$를 계산하는 건 단순 통분 연산이기 때문에,

그 과정을 답안에서 생략하여도 큰 상관이 없다. 하지만 답안을 작성할 시간이 남는다면, 그 통분 과정도 보여줌으로써 일말의 감점 여지를 없앨 수 있긴 하겠다.[26)]

26) 이 정도 단순계산과정 생략에 의한 감점 가능성은 매우 낮습니다.

예제 4

★☆☆☆☆ 연습문제

모든 자연수 n에 대하여 등식

$$\sum_{k=1}^{n} \frac{k}{2^k} \times (k+1)! = \frac{(n+2)!}{2^n} - 2$$

이 성립함을 수학적 귀납법으로 증명하라.

연습지

해설 4

(i) $n=1$일 때,

$\sum_{k=1}^{1} \frac{k}{2^k} \times (k+1)! = 1$, $\frac{(1+2)!}{2^1} - 2 = 1$ 이므로 준식은 성립한다.

(ii) $n=m$일 때 준식이 성립한다고 가정하자. 양변에 $\frac{m+1}{2^{m+1}} \times (m+2)!$을 더하면

(좌변)= $\sum_{k=1}^{m+1} \frac{k}{2^k} \times (k+1)!$, (우변)= $\frac{(m+3)!}{2^{m+1}} - 2$ 이므로 $n=m+1$일 때도 성립한다.

따라서 수학적 귀납법에 의하여 모든 자연수 n에 대하여 준식이 항상 성립한다.

| $\sum$에 대한 자연수 명제 증명시 주의할 점

다음 예제의 우변에는 이전 문제들과 다르게 $\sum$ 안에 있는 식에도 n이 개입되어있기 때문에, $n=m$일 때의 식에서 $n=m+1$인 식으로 넘어갈 때 해주는 식 조작을 주의해야 한다.

예제 5 ★★★☆☆ 연습문제

모든 자연수 n에 대하여 등식

$$\sum_{k=1}^{n} \frac{1}{(2k-1)2k} = \sum_{k=1}^{n} \frac{1}{n+k}$$

임을 보이시오.

연습지

해설 5.1

수학적 귀납법

i) $n=1$일 때,

$\sum_{k=1}^{1}\frac{1}{(2k-1)2k}=\frac{1}{1\times 2}$이고, $\sum_{k=1}^{1}\frac{1}{1+k}=\frac{1}{2}$이므로, 준식은 성립한다.

ii) $n=m$일 때 문제의 준식이 성립한다고 가정하자.

양변에 $\frac{1}{(2m+1)(2m+2)}$을 더하면

(좌변)= $\sum_{k=1}^{m+1}\frac{1}{(2k-1)(2k)}$, (우변)= $\sum_{k=1}^{m+1}\frac{1}{m+1+k}$ 이므로 문제의 준식이 $n=m+1$일 때도 성립한다.

따라서 수학적 귀납법에 의하여 모든 자연수 n에 대하여 준식이 항상 성립한다.

cf. (우변) 계산을 직접 해봐야만 주의할 점을 체감할 수 있다.

해설 5.2

직접증명법 : 텔레스코핑

$$\sum_{k=1}^{n}\frac{1}{(2k-1)2k}=\sum_{k=1}^{n}\left(\frac{1}{2k-1}-\frac{1}{2k}\right)$$

$$=\left(1+\frac{1}{3}+\frac{1}{5}+\frac{1}{7}+\cdots+\frac{1}{2n-1}\right)-\left(\frac{1}{2}+\frac{1}{4}+\frac{1}{6}+\cdots+\frac{1}{2n}\right)$$

$$=\left(1+\frac{1}{3}+\cdots+\frac{1}{2n-1}\right)+\left(\frac{1}{2}+\frac{1}{4}++\cdots+\frac{1}{2n}\right)-\left(\frac{1}{2}+\frac{1}{4}++\cdots+\frac{1}{2n}\right)\times 2$$

$$=\left(1+\frac{1}{3}+\cdots+\frac{1}{2n-1}\right)+\left(\frac{1}{2}+\frac{1}{4}+\cdots+\frac{1}{2n}\right)-\left(\frac{1}{1}+\frac{1}{2}+\cdots+\frac{1}{n}\right)$$

$$=\left(1+\frac{1}{2}+\frac{1}{3}+\frac{1}{4}+\cdots+\frac{1}{2n}\right)-\left(\frac{1}{1}+\frac{1}{2}+\frac{1}{3}+\cdots+\frac{1}{n}\right)$$

$$=\frac{1}{n+1}+\frac{1}{n+2}+\cdots+\frac{1}{2n}=\sum_{k=1}^{n}\frac{1}{n+k}$$

spoiler

이 문제는 나중에 이렇게 발전됩니다.

$1-\frac{1}{2}+\frac{1}{3}-\frac{1}{4}+\cdots=\ln 2$ 임을 보이시오.

2. 자연수 명제의 최고 해법이 항상 수학적 귀납법인 것은 아니다.

수학적 귀납법은 자연수 명제에 대해 유용한 증명수단이기 때문에 많이 강추하는 증명법이지만,
다음 예제는 '자연수 명제의 최고 해법이 항상 수학적 귀납법인 것은 아니다.' 라는 교훈을 주는 문제이다.

즉, 수학적 귀납법에 너무 의존적인 스탠스를 취하지 않는 것이 좋다.

예제 6 ★★★★☆ 2019 연세대 모의논술

자연수 1부터 n까지의 합은 $\sum_{k=1}^{n} k = \frac{n(n+1)}{2}$ 이다. 자연수 m에 대하여 다음 물음에 답하시오.

[1] $\sum_{k=1}^{n} k(k+1)$을 위와 같이 가장 간단한 모양으로 나타내시오.

[2] $\sum_{k=1}^{n} k(k+1)(k+2)\cdots(k+m)$의 가장 간단한 모양을 추론하고 이를 증명하시오.

연습지

해설 6

텔레스코핑27)

[1] Pass

[2]
$$\begin{aligned}\sum_{k=1}^{n} k(k+1)(k+2)\cdots(k+m+1) &= \sum_{k=0}^{n} k(k+1)(k+2)\cdots(k+m)(k+m+1)\\ &= \sum_{k=1}^{n+1}(k-1)k(k+1)\cdots(k+m-1)(k+m)\\ &= n(n+1)\cdots(n+m+1)+\sum_{k=1}^{n}(k-1)k\cdots(k+m-1)(k+m)\\ &= n(n+1)\cdots(n+m+1)+\sum_{k=1}^{n}k(k+1)\cdots(k+m)(k+m+1)\\ &\quad -(m+2)\sum_{k=1}^{n}k(k+1)\cdots(k+m)\end{aligned}$$

이므로, 마지막 등호에 의해 양변에서 $\sum_{k=1}^{n}k(k+1)(k+2)\cdots(k+m+1)$을 소거해주면

$\sum_{k=1}^{n}k(k+1)(k+2)\cdots(k+m)=\dfrac{n(n+1)(n+2)\cdots(n+m+1)}{m+2}$ 임을 알 수 있다.

도움영상

본 문제는 마지막 문제의 '모양을 추론하고 이를 증명하시오.' 라고 한 부분이 수학적 귀납법을 의도한 뉘앙스를 다분히 보여주는 것은 사실이다. 하지만 수학적 귀납법으로 증명하기엔 매우 까다로운 문제이다.

반면 시그마 내부식의 구성 및 위끝과 아래끝을 조작해서 푸는 텔레스코핑 방식은 낯설지만 확실히 간단한 풀이를 보여준다.

이렇듯 수학적 귀납법이 항상 신인 것은 아니다. 다양한 증명 방법/문풀 방법을 본 교재 시리즈를 통해 배워가보자.

TIP

참고로 이 문제에서 굳이, 굳이, 굳이 출제자의 의도를 살려 수학적 귀납법을 쓰고 싶다면
n이 아닌 m에 대한 수학적 귀납법으로 해야 정확한 증명이다.

시그마 내부식에 곱해지는 항의 변화가 n이 아닌 변수 m에 의해 일어나고 있고, 이럴 때 일반적인 상황에 대하여 증명하라는 문제이기 때문이다.

이전 문제들처럼 시그마의 위끝인 n의 값에 따른 일반적인 상황을 증명하고픈 것이 아님을 명심하자.

반박시 님 말이 맞음~ 이 아니고, 본 책의 주장이 맞다.
연세대 입학처에 업로드 되어있는 연세대 교수님의 해설강의도 역시 n이 아닌 m으로 증명하고 있다.

27) 이편 뒤의 수열 Part에서 소개하고 있다.

3. 반대로, 수.귀 문제가 아닌 줄 알았는데 수.귀로 풀 수 있는 경우도 존재한다.

우리가 보여야 하는 결론이 문제에 제시될 수도, 제시되지 않을 수도 있다.
이런 경우 가정할 만한 명제가 없어서 수학적 귀납법 문제가 아닌 줄 알고 다른 방법을 시도하는 경우가 대부분이지만, 가정할 명제를 문제 정보로부터 추측한 후 수학적 귀납법으로 증명하는 문제들도 있다.

이런 경우엔 보이려는 명제를 직접 문제에서 파악 또는 예측해야 한다.

| 예측한 내용을 **반드시 증명**해야 한다.

$1, 3, 5,$ ★, 9 일 때 ★의 값을 묻는 넌센스 문제를 예로 들어보자.
대부분은 ★$= 7$ 이라 할 것이다. 이 사람들은 $a_n = 2n-1$로 추측한 것이다.

하지만 출제자가 의도한 수열이 $a_n = (n-1)(n-2)(n-3)(n-5)+2n-1$ 이었다면? ★$=1$ 이 된다.
즉, 간단한 대입만으로 추측한 정답은 반드시 그것이 정답인지 확인하는 과정이 필요하다.
$a_n = 2n-1$이라고 추측했다면, 이를 수학적 귀납법으로 증명까지 해야 문제를 온전히 푼 것이 된다.
다음 예제에서 연습해보자.

예제 7 ★★★☆☆ 연습문제

$a_1 = \dfrac{3}{1}$인 수열 $\{a_n\}$이 모든 자연수 n에 대하여

$$a_{n+1} + \frac{2}{a_n} = 3$$

를 만족시킬 때, 수열 $\{a_n\}$의 일반항을 구하시오.

연습지

해설
7

추측 후 수학적 귀납법

$a_1 = \frac{3}{1}$이고, $a_{n+1} + \frac{2}{a_n} = 3$에서 $a_2 + \frac{2}{3} = 3$, $a_2 = \frac{7}{3}$

$n = 2, 3$을 대입하며 반복해서 구해보면 $a_3 + \frac{6}{7} = 3, a_3 = \frac{15}{7}$이고 $a_4 + \frac{14}{15} = 3, a_4 = \frac{31}{15}$이다.

위 결과를 통해 규칙을 추측해 보면 $a_n = \frac{2^{n+1}-1}{2^n-1}$로 추론할 수 있다.

(cf. 1, 3, 7, 15, 31 등과 같은 수는 2^k (k는 자연수) 에서 1을 뺀 값이니까)

우리가 추론한 수열 $\{a_n\}$의 일반항이 $a_n = \frac{2^{n+1}-1}{2^n-1}$인 것을 수학적 귀납법으로 증명해 보도록 하자.

(i) $n = 1$일 때, $a_1 = \frac{2^{1+1}-1}{2^1-1} = \frac{3}{1}$이므로, 준식은 성립한다.

(ii) $n = m$일 때, 문제의 준식이 성립한다고 가정하자.

$a_{m+1} + \frac{2}{a_m} = 3$이고 $a_m = \frac{2^{m+1}-1}{2^m-1}$이므로 $a_{m+1} + 2 \times \frac{2^m-1}{2^{m+1}-1} = 3$이고, 이를 정리하면

$a_{m+1} = 3 - 2 \times \frac{2^m-1}{2^{m+1}-1} = \frac{2 \times 2^{m+1}-1}{2^{m+1}-1} = \frac{2^{m+2}-1}{2^{m+1}-1}$이다.

따라서 문제의 준식이 $n = m+1$일 때도 성립한다.

따라서 수학적 귀납법에 의하여 모든 자연수 n에 대하여 $a_n = \frac{2^{n+1}-1}{2^n-1}$ 이다.

2-4

Chapter 2. 증명법

귀류법

명제의 결론을 부정하여 모순을 이끌어 냄으로써 원래 명제의 결론이 참임을 보이는 방법을 귀류법이라 한다.

| Point. 1

귀류법은 결론이 양자택일 or 이분법적 명제에서만 사용가능하다.

예시 1) ~~이면 자연수 n은 짝수이다. (짝수가 아니면 홀수니까)

예시 2) ~~이면 ~가 존재한다. (존재하거나 존재하지 않거나)

| Point. 2

우리가 보여야 하는 결론을 부정한 후 모순을 보이는 것이 핵심이다.

| Point. 3

결론을 부정한 후 시작하기 때문에, 이 부정된 결론을 문제조건처럼 써먹을 수 있는 만큼 유리하다.[28]

귀류법의 적용법은 다음과 같다.

TIP

귀류법의 적용법

Step.1

보이려는 명제 $p \rightarrow q$ 에서 결론 q가 이분법적 판단 / 흑백논리 판단 / 양자택일 판단이 가능한지 확인한다.
이 때, 조건 p는 절대로 건들지 않는다.
p는 이 문제에서 주어진 것이므로, 이를 바꿔버리면 본인 맘대로 시험문제를 바꿔버리는 셈이 된다.

Step.2

p, $\sim q$, 기존의 공리들 이 세 개를 이용하여 모순을 이끌어낸다.
모순이 나오게 함으로써 우리가 보인 것은 “p이면 $\sim q$가 아니다.” 를 보인 것이다.

Step.3

Step.1의 판정에 의하면 $\sim q$가 아니라는 것은 q가 맞다는 것과 동치인 상황이므로,
따라서 $p \Rightarrow q$ 일 수 밖에 없다.

28) 수학적귀납법에서 $n=m$일 때의 상황을 가정한 후 그 식을 사용한 만큼 유리하다는 것과 일맥상통

예제 8 ★★☆☆☆ 연습문제

$\sqrt{2}$ 가 무리수임을 보이시오.

연습지

예제 9 ★★☆☆☆ 연습문제

소수가 무한개임을 보이시오.

연습지

예제 10 ★★★☆☆ 연습문제

두 방정식 $\cos x = 0$과 $\sin x = 0$의 모든 해는 번갈아 나와야 함을 평균값의 정리를 이용하여 보이시오.
(즉, 한 방정식의 임의의 두 근 사이에 다른 방정식의 근이 적어도 하나가 있음을 보이시오.)

연습지

해설 8

$\sqrt{2}$가 유리수라고 가정하자.

$\sqrt{2}$가 유리수이므로, 서로소인 자연수 a,b에 대하여 $\sqrt{2} = \frac{a}{b}\ (b \neq 0)$로 나타낼 수 있다.

$2 = \frac{a^2}{b^2}$이므로, $a^2 = 2b^2$이다. b^2은 자연수이므로 a^2이 짝수이고 a는 짝수이다. 따라서 $a = 2k$로 둘 수 있다.
(k는 자연수)
이 결과를 식에 대입하면 $4k^2 = 2b^2$에서 $b^2 = 2k^2$, 즉 b^2이 짝수이므로 b도 짝수이다.[29]
따라서 자연수 a와 b가 모두 짝수라는 결론이 나오는데, 이는 a와 b가 서로소라는 사실과 모순이다.

따라서 $\sqrt{2}$는 무리수이다.

해설 9

소수의 개수가 유한하다고 가정하자.
모든 소수의 집합 $P = \{p_1, p_2, \cdots, p_n\}$에 대하여 어떤 자연수 $a = p_1 \times p_2 \times p_3 \times \ldots \times p_n + 1$를 생각하자.
이 자연수 a는 모든 소수 $p_1, p_2, \ldots\ p_n$ 으로 나누어떨어지지 않으므로 소수이다.
그런데 $a \notin P$이므로, 모든 소수를 원소로 하는 집합 P의 정의와 모순이다. 따라서 소수는 무한하다.

해설 10

$\sin x = 0$을 만족하는 연속된 두 근을 $x_1,\ x_2\ (x_1 < x_2)$라 할 때,
구간 $(x_1,\ x_2)$에서 방정식 $\cos x = 0$의 근이 존재하지 않는다고 가정하자. ⋯ ①
함수 $y = \sin x$는 실수 전체의 집합에서 미분가능하고 연속이므로, 롤의 정리에 의해
$\frac{\sin x_1 - \sin x_2}{x_1 - x_2} = 0 = \cos c\ (x_1 < c < x_2)$인 c가 구간 $(x_1,\ x_2)$사이에 적어도 하나 존재한다.

이는 ①과 모순이므로, $\sin x = 0$을 만족하는 연속된 두 근 $x_1,\ x_2$에 대하여
구간 (x_1, x_2)에서 방정식 $\cos x = 0$의 근이 적어도 하나 존재한다.

$\cos x = 0$을 만족하는 연속된 두 근을 $x_3,\ x_4$라 한 후 마찬가지 방식으로 논리를 전개한다면, 최종적으로 두 방정식 $\cos x = 0$과 $\sin x = 0$의 모든 해는 번갈아 나와야 함을 알 수 있다.

29) 본 증명은 대우법에서 다룰 예정이다.

Show and Prove

2-5

Chapter 2. 증명법

대우법

“p이면 q이다.” 란 명제의 참-거짓과 대우명제 “ $\sim q$이면 $\sim p$이다.” 의 참-거짓이 일치함을 이용하는 증명법이다. 본명제보다 대우명제가 증명하기 쉬울 때, 즉

‘문제의 주어진 p가 활용하기 어려운 조건이고 $\sim q$가 활용하기 편한 조건’

일 때가 사용 타이밍이다.

예제 11

★☆☆☆☆ 연습문제

자연수 n에 대하여 n^2이 짝수이면 n도 짝수이다.

연습지

예제 12

★★☆☆☆ 2021 경북대 기출일부

$a<4$ 인 실수 a 에 대하여 최고차항의 계수가 1 인 삼차함수 $f(x)$ 는 다음 조건을 만족시킨다.

(ㄱ) $f(a+x)\neq 0$ 이면 $f(a+x)f(a-x)<0$ 이다.
(ㄴ) $f(4)=0$

a를 이용하여 함수 $f(x)$를 나타내시오.

연습지

예제 13

★★☆☆☆ 2018 경희대 기출일부

참인 명제 ‘x가 0이 아닌 유리수일 때, $\tan x$는 무리수이다.‘와 대우법을 이용하여 π가 무리수임을 보여라.

연습지

해설
11

대우명제) "자연수 n에 대하여 n이 홀수이면, n^2이 홀수이다." 를 보이자.
$n=2k-1$ (단, k는 자연수) 로 두면, $n^2=4k^2-4k+1=2(2k^2-2k)+1$이므로 n^2은 홀수이다.

따라서 대우명제가 참이므로 본 명제도 참이다.

해설
12

$f(a)\neq 0$ 이라 가정하면, 조건 (ㄱ)에서 $x=0$ 을 대입할 수 있는데 $\{f(a)\}^2<0$ 이 나오므로 모순이다.
즉 $f(a)=0$ 이다.[30]

한편 조건 (ㄱ)의 대우명제는 '$f(a+x)f(a-x)\geq 0$ 이면 $f(a+x)=0$' 이며 이 역시 참이다. 이 명제에 $x=a-4$ 를 대입했을 때 $f(a+x)f(a-x)\geq 0$ 를 만족하므로 $f(a+a-4)=f(2a-4)=0$ 이다.

따라서 $f(a)=0$, $f(4)=0$, $f(2a-4)=0$ 이므로 $f(x)=\{x-(2a-4)\}(x-a)(x-4)$ 이다.

해설
13

대우명제 : $\tan x$가 유리수일 때, x는 0 이거나 무리수이다.

가 참임을 이용하면, $\tan\pi=0$이므로 π는 0 또는 무리수이다. 그런데 $\pi\neq 0$ 이므로, π는 무리수이다.

30) 이 부분도 귀류법에 해당한다. 이렇듯 귀류법은 다양한 곳에서 자연스럽게 활용된다.

Show and Prove

2-6

Chapter 2. 증명법

실전 논제 풀어보기

- 해설집에 있는 논제에 대한 해설 중 어려운 부분의 이해를 도와주는 영상을 QR코드를 통해 볼 수 있습니다. 완벽한 해설 강의가 아니기 때문에, 시청 전에 해설을 먼저 읽어본 후 QR코드의 강의를 활용하기 바랍니다.
- 답안지 Box의 점선 줄은 다음과 같이 활용하세요.
  ⓐ 답안 첫 두 줄을 점선 줄 위에서부터 시작해서, 아래 답안들도 줄이 삐뚤어지지 않도록 맞춰 써보세요.
  읽기 편한 글씨체와 줄 맞춰 쓰기는 채점관에게 좋은 인상의 답안이 되기 위한 기본기입니다 :)
  ⓑ 줄 맞춰 쓸 연습이 필요 없다면, 이 문제에 쓰이는 필수 Idea를 필기하는 용도로 활용하세요.

논제 4

★★★☆☆ 2018 한양대 모의논술

제시문

자연수들로 이루어진 수열 $x_1,\ x_2,\ \cdots,\ x_n,\ \cdots$ 과 다항식 $p(x)$ 는 다음 조건들을 모두 만족한다.

가. $p(0)=0$
나. $p(x_1)=1$ 이며 모든 자연수 n 에 대해서 $p(x_n)$ 는 자연수이다.
다. 모든 자연수 n 에 대해서 $\dfrac{1}{p(x_{n+1})}+\displaystyle\sum_{k=1}^{n}\dfrac{1}{x_k}=1$ 을 만족시킨다.

[1] 수열 $x_1,\ x_2,\ \cdots,\ x_n,\ \cdots$ 에서 $x_m=x_{m+l}$ 인 서로 다른 자연수 m 과 l 이 존재하는지 논하시오.

[2] 수열 $p(x_1),\ p(x_2),\ \cdots,\ p(x_n),\ \cdots$ 의 수렴, 발산 여부를 판정하시오. 발산하면 그 이유를 설명하고 수렴하면 그 극한값 $\lim\limits_{n\to\infty}p(x_n)$ 을 구하시오.

연습지

답안지

논제 5

★★★★☆ 예상문제

$\tan(\alpha+\beta)=\dfrac{\tan\alpha+\tan\beta}{1-\tan\alpha\tan\beta}$ 임을 이용하여 $\sin 1^\circ$, $\cos 1^\circ$ 중 적어도 하나는 무리수임을 보여라.

연습지

답안지

논제 6 ★★★☆☆ 2022 이화여대

상수 $p\ (1<p<2)$ 에 대하여 함수 $f(x)=x^3-px^2+px$ 가 있다. 수열 $\{a_n\}$ 이 모든 자연수 n 에 대하여 $a_{n+1}=f(a_n)$을 만족시킨다. $0<a_1<1$ 일 때, 아래 물음에 답하시오.

[1] $0<x<\beta$ 에서 부등식 $f(x)>x$ 가 성립하고, $\beta<x<1$ 에서 부등식 $f(x)<x$ 가 성립하는 β 를 구하시오.

[2] 모든 자연수 n 에 대하여 부등식 $0<a_n<1$ 이 성립함을 수학적 귀납법을 이용하여 보이시오.

[3] 문항 **[1]**에서 정해진 β 에 대하여 $a_1\neq\beta$ 일 때, 모든 자연수 n 에 대하여 부등식 $0<a_n<\beta$ 가 성립하거나, 모든 자연수 n 에 대하여 부등식 $\beta<a_n<1$ 이 성립함을 수학적 귀납법을 이용하여 보이시오.

[4] 문항 **[1]**에서 정해진 β 에 대하여 $a_1\neq\beta$ 일 때, 모든 자연수 n 에 대하여 부등식 $a_{n+1}>a_n$ 이 성립하거나, 모든 자연수 n 에 대하여 부등식 $a_{n+1}<a_n$ 이 성립함을 보이시오.

연습지

답안지

논제 7

★★★☆☆ 2022 부산대 모의논술

[1] 다항식 $f(x)$를 x^2-x+1로 나눈 나머지는 $x-1$이고, $x+1$로 나눈 나머지는 -1일 때,
다항식 $f(x)$를 x^3+1로 나눈 나머지를 구하시오.

[2] 다항식 $g(x)=x^4+x-1$에 대하여 다음 명제가 성립함을 수학적 귀납법을 사용하여 증명하시오.
(단, $g^1(x)=g(x)$이고 $g^{n+1}(x)=g(g^n(x))$ 이다. 합성함수임에 유의할 것)

'모든 자연수 n에 대하여 $g^n(x)$를 x^2-x+1으로 나눈 나머지는 항상 일정하다.'

연습지

답안지

Show
and
Prove

기대T 수리논술 수업 상세안내

수업명	수업 상세 안내 (지난 수업 영상수강 가능)
정규반 프리시즌 (2월)	- 수리논술만의 특징인 '답안작성 능력'과 '증명 능력'을 향상 시키는 수업 - 수험생은 물론 강사도 가질 수 있는 '증명 오개념'을 타파시키는 수학 전공자의 수업
정규반 시즌1 (3월)	- 수능/내신 공부와 다른 수리논술 공부의 결 & 방향성을 잡아주는 수업 - 삼각함수 & 수열의 콜라보 등 논술형 발전성을 체감해볼 수 있는 실전 내용 수업
정규반 시즌2 (4~5월)	- 수리논술에서 50% 이상의 비중을 차지하는 수리논술용 미적분을 집중 해석하는 수업 - 수리논술에도 존재하는 행동 영역을 통해 고난도 문제의 체감 난이도를 낮춰주는 수업 - 대학의 모범답안을 보고도 '이런 아이디어를 내가 어떻게 생각해내지?'라는 생각이 드는 학생들도 납득 가능하고 감탄할 만한 문제접근법을 제시해주는 수업
정규반 시즌3 (6~7월)	- 상위권 대학의 합격 당락을 가르는 고난도 주제들을 총정리하는 수업 - 아래 학교의 수리논술 합격을 바라는 학생들이라면 강추 (메디컬, 고려, 연세, 한양, 서강, 서울시립, 경희, 이화, 숙명, 세종, 서울과기대, 인하)
선택과목 특강 (선택확통 / 선택기하)	- 수능/내신의 빈출 Point와의 괴리감이 제일 큰 두 과목인 확통/기하의 내용을 철저히 수리논술 빈출 Point에 맞게 피팅하여 다루는 Compact 강의 (영상 수강 전용 강의) - 확통/기하 각각 2~3강씩으로 구성된 실전+심화 수업 (교과서 개념 선제 학습 필요) - 상위권 학교 지원자들은 꼭 알아야 하는 필수내용 / 6월 또는 7월 내로 완강 추천
Semi Final (8월)	- 본인에게 유리한 출제 스타일인 학교를 탐색하여 원서지원부터 이기고 들어갈 수 있도록 태어난 새로운 수업 (모든 대학을 출제유형별로 A그룹~D그룹으로 분류 후 분석) - 최신기출 (작년 기출+올해 모의) 중 주요 문항 선별 통해 주요대학 최근 출제 경향 파악
고난도 문제풀이반 For 메디컬/고/연/서성한시	- 2월~8월 사이 배운 모든 수리논술 실전 개념들을 고난도 문제에 적용 해보는 수업 - 전형적인 고난도 문제부터 출제될 시 경쟁자와 차별될 수 있는 창의적 신유형 문제까지 다양하게 만나볼 수 있는 수업
학교별 Final (수능전 / 수능후)	- 학교별 고유 출제 스타일에 맞는 문제들만 정조준하여 분석하는 Final 수업 - 빈출 주제 특강 + 예상 문제 모의고사 응시 후 해설 & 첨삭 - 고승률 문제접근 Tip을 파악하기 쉽도록 기출 선별 자료집 제공 (학교별 상이)
첨삭	수업 형태 (현장 강의 수강, 온라인 수강) 상관없이 모든 학생들에게 첨삭이 제공됩니다. 1차 서면 첨삭 후 학생이 첨삭 내용을 제대로 이해했는지 확인하기 위해, 답안을 재작성하여 2차 대면 첨삭영상을 추가로 제공받을 수 있습니다. 이를 통해 학생은 6~10번 이내에 합격급으로 논리적인 답안을 쓸 수 있게 되며, 이후에는 문제풀이 Idea 흡수에 매진하면 됩니다.

정규반 안내사항 (아래 QR코드 참고)

대학별 Final 안내사항 (아래 QR코드 참고)

삼각함수와 활용

3-1

삼각함수 각종 공식

1. 삼각함수 교과서 기본 공식

현재 공부하고 있는 [1편] 에서는 수학논리의 기본기와 수학1을 중점적으로 다루고 있고 미적분은 [3편]에서 중점적으로 다루지만, 단원간 연계돼서 나오는 유형을 대비하기 위해 [1편], [2편]에서도 약간의 미적분 기본공식을 소개한다.[31)]

| 삼각함수 덧셈정리

1. $\sin(\alpha+\beta)=\sin\alpha\cos\beta+\cos\alpha\sin\beta$, $\sin(\alpha-\beta)=\sin\alpha\cos\beta-\cos\alpha\sin\beta$
2. $\cos(\alpha+\beta)=\cos\alpha\cos\beta-\sin\alpha\sin\beta$, $\cos(\alpha-\beta)=\cos\alpha\cos\beta+\sin\alpha\sin\beta$
3. $\tan(\alpha+\beta)=\dfrac{\tan\alpha+\tan\beta}{1-\tan\alpha\tan\beta}$, $\tan(\alpha-\beta)=\dfrac{\tan\alpha-\tan\beta}{1+\tan\alpha\tan\beta}$

spoiler

교과서 기본 덧셈정리 1번 공식의 두 식

$$\sin(\alpha+\beta)=\sin\alpha\cos\beta+\cos\alpha\sin\beta$$
$$\sin(\alpha-\beta)=\sin\alpha\cos\beta-\cos\alpha\sin\beta$$

의 양변을 더하면 $\sin(\alpha+\beta)+\sin(\alpha-\beta)=2\sin\alpha\cos\beta$ 이다.

$\alpha+\beta=A,\ \alpha-\beta=B$ 라 하면 이 공식은 $\sin A+\sin B=2\sin\dfrac{A+B}{2}\cos\dfrac{A-B}{2}$ 가 된다.

이와 같은 방법으로 새 공식들을 갈무리하면 다음과 같다.

$$\sin A+\sin B=2\sin\frac{A+B}{2}\cos\frac{A-B}{2}$$
$$\sin A-\sin B=2\cos\frac{A+B}{2}\sin\frac{A-B}{2}$$
$$\cos A+\cos B=2\cos\frac{A+B}{2}\cos\frac{A-B}{2}$$
$$\cos A-\cos B=-2\sin\frac{A+B}{2}\sin\frac{A-B}{2}$$

교과과정에서 사라졌으나, 각종 식 정리에서 유리한 고지에 오를 수 있는 공식이므로
수리논술을 위해 약간의 overdose를 해두자.

사용예시) $\int 2\sin3x\cos2x\,dx=\int(\sin5x+\sin x)\,dx$ 로 활용 후 적분 가능

31) 미적분 진도가 안나간 학생들도 책에서 소개되는 공식을 'just 암기'만 하더라도 뒤의 내용을 학습하는데에 문제가 없으니 학습을 멈추지 마세요 :)

| 삼각함수 합성

핵심 아이디어는 기본공식인 $\sin(\alpha+\beta)=\sin\alpha\cos\beta+\cos\alpha\sin\beta$의 등식 순서를 바꾸는 것이다.
좌변을 풀어서 우변이 나오던 흔한 방식이 아니고, 우변의 모양을 갖추면 좌변으로 깔끔하게 정리를 할 수 있다는 마인드가 삼각함수 합성이라 생각 해주면 된다.
즉, $a\sin\theta+b\cos\theta$와 같은 식을 우변 모양인 $\sin\alpha\cos\beta+\cos\alpha\sin\beta$으로 만드는 과정이 삼각함수 합성이다.

단순하게 생각하면 모든 a, b에 대하여 $a=\cos\alpha$, $b=\sin\alpha$라 하면 될 것 같지만, 이렇게 단순히 생각하면 문제가 생긴다. $\sin^2\alpha+\cos^2\alpha$는 항상 1이므로, 위 논리에 따르면 $a^2+b^2=1$이어야 하는데, 모든 문제의 $(a,\ b)$ 순서쌍에서 만족하는 건 아니다. (ex. $3\sin\theta+4\cos\theta$ 라 한다면 $(a,\ b)=(3,\ 4)$이므로 $a^2+b^2=5^2\neq1$)

이러한 현상을 방지하기 위해서[32] 우리는 $a\sin\theta+b\cos\theta$를

$$\sqrt{a^2+b^2}\times\left(\frac{a}{\sqrt{a^2+b^2}}\sin\theta+\frac{b}{\sqrt{a^2+b^2}}\cos\theta\right)$$

꼴로 바꿔주면서 $\frac{a}{\sqrt{a^2+b^2}}=\cos\alpha$, $\frac{b}{\sqrt{a^2+b^2}}=\sin\alpha$ 라 할 수 있는 명분을 만들어내는 과정을 삼각함수 합성이라 한다.

삼각함수 합성 과정을 통해, 최종적으로

$$a\sin\theta+b\cos\theta=\sqrt{a^2+b^2}\sin(\theta+\alpha)\ \left(\text{단, } \frac{a}{\sqrt{a^2+b^2}}=\cos\alpha,\ \frac{b}{\sqrt{a^2+b^2}}=\sin\alpha\right)$$

로 표현이 가능하다.

혹은 $\frac{a}{\sqrt{a^2+b^2}}=\sin\beta$, $\frac{b}{\sqrt{a^2+b^2}}=\cos\beta$ 이라 두면,

$$a\sin\theta+b\cos\theta=\sqrt{a^2+b^2}\cos(\theta-\beta)\ \left(\text{단, } \frac{a}{\sqrt{a^2+b^2}}=\sin\beta,\ \frac{b}{\sqrt{a^2+b^2}}=\cos\beta\right)$$

로도 표현이 가능하다.

'$\sin$합성이나 $\cos$합성 둘 중 하나만 외울게요.' 마인드가 아닌 '두 방식으로 모두 바꿀 수 있어요.' 마인드로 학습해주기 바란다.

32) 계수의 제곱의 합을 1로 만들어주기 위해

2. 삼각함수 배각 공식과 반각 공식

| 두배각 공식

앞선 덧셈정리 1, 2, 3에 $\alpha = x = \beta$를 대입해서 유도한다. 즉 우리가 알고 있는 공식으로부터 충분히 유도가 되기 때문에 논술에서 나와도 전혀 어색하지 않으므로, 숙지하고 있을 것.[33]

4. $\sin 2x = 2\sin x \cos x$
5. $\cos 2x = \cos^2 x - \sin^2 x = 2\cos^2 x - 1 = 1 - 2\sin^2 x$
6. $\tan 2x = \dfrac{2\tan x}{1 - \tan^2 x}$

| 세배각 공식

덧셈정리 1, 2, 3의 식에 $\alpha = 2x,\ \beta = x$를 대입한 후 4, 5, 6의 결과를 적용하면 얻을 수 있다.

7. $\sin 3x = 3\sin x - 4\sin^3 x$
8. $\cos 3x = 4\cos^3 x - 3\cos x$
9. $\tan 3x = \dfrac{3\tan x - \tan^3 x}{1 - 3\tan^2 x}$

| 반각 공식

덧셈정리 5.의 공식 $\cos 2x = \cos^2 x - \sin^2 x = 2\cos^2 x - 1 = 1 - 2\sin^2 x$ 을 이용하면

10.[34] $\cos^2\left(\dfrac{x}{2}\right) = \dfrac{1 + \cos x}{2}$

11. $\sin^2\left(\dfrac{x}{2}\right) = \dfrac{1 - \cos x}{2}$

12.[35] $\tan^2\left(\dfrac{x}{2}\right) = \dfrac{1 - \cos x}{1 + \cos x}$ (10, 11번식을 나눔)

33) 수능에서도 그렇긴 하지만, 수능에선 최대한 지양하여 출제하고 있을 뿐이다.

34) 이번 단원은 삼각함수와 수열이 엮이는 부분이 있을 것이다. 10번 공식을 잘 봐두도록 하자.

35) 간혹 $\tan x = \dfrac{2\tan\frac{x}{2}}{1 - \tan^2\frac{x}{2}}$ 에서 유도하려는 학생들이 있는데, 인수분해 안되는 이차식이라 근이 더러워서 잘 안쓰지만, 구경이나 해보자.

$\tan\dfrac{x}{2}$에 대한 2차식으로 전개 후 풀어보면 $\tan\dfrac{x}{2} = \dfrac{\pm\sqrt{\tan^2 x + 1} - 1}{\tan x}$.

Show and Prove

3-2

Chapter 3. 삼각함수와 활용

삼각함수 특수각의 확장

지금까지 우리에게 특수각은 $30,\ 45,\ 60,\ 90$도 뿐 이었는데, 이과 논술러로서 이것 이외에 추가로 알아야 하는 특수각들은 다음과 같다.

θ	$\frac{\pi}{12}\ (15^\circ)$	$\frac{\pi}{10}\ (18^\circ)$	$\frac{\pi}{8}\ (22.5^\circ)$	$\frac{\pi}{5}\ (36^\circ)$
$\sin\theta = \cos\left(\frac{\pi}{2}-\theta\right)$	$\frac{\sqrt{6}-\sqrt{2}}{4}$	$\frac{\sqrt{5}-1}{4}$	$\sqrt{\frac{2-\sqrt{2}}{4}}$	X [36]
$\cos\theta = \sin\left(\frac{\pi}{2}-\theta\right)$	$\frac{\sqrt{6}+\sqrt{2}}{4}$	X	$\sqrt{\frac{2+\sqrt{2}}{4}}$	$\frac{\sqrt{5}+1}{4}$
$\tan\theta = \frac{1}{\tan\left(\frac{\pi}{2}-\theta\right)}$	$2-\sqrt{3}$	X	$\sqrt{2}-1$	X

1. 15도, 75도 & 22.5도, 67.5도의 삼각비 구하는 방법: 삼각함수 덧셈정리와 반각공식 활용

15도와 75도의 삼각비를 구하기 위해 덧셈정리를 활용하자. $15^\circ = 45^\circ - 30^\circ$ 이므로

$\sin 15^\circ = \sin(45^\circ - 30^\circ) = \frac{\sqrt{2}}{2}\left(\frac{\sqrt{3}}{2} - \frac{1}{2}\right) = \frac{\sqrt{6}-\sqrt{2}}{4}$ 이고

$\cos 15^\circ = \cos(45^\circ - 30^\circ) = \frac{\sqrt{2}}{2}\left(\frac{1}{2} + \frac{\sqrt{3}}{2}\right) = \frac{\sqrt{6}+\sqrt{2}}{4}$ 이다. 자연스럽게

$\tan 15^\circ = \frac{\sin 15^\circ}{\cos 15^\circ} = \frac{\sqrt{6}-\sqrt{2}}{\sqrt{6}+\sqrt{2}} = \frac{(\sqrt{6}-\sqrt{2})^2}{4} = 2-\sqrt{3}$ 이다.

또한 $\sin(90^\circ - \theta) = \cos\theta$를 이용하여 75°에 대한 삼각비들도 알 수 있다.

이번엔 22.5도와 67.5도의 삼각비를 구해보자. 반각 공식을 활용한다.

$\cos^2\left(\frac{x}{2}\right) = \frac{1+\cos x}{2}$ 에 $x = 45^\circ$를 대입하면

$\cos^2(22.5^\circ) = \frac{2+\sqrt{2}}{4}$ 이고, $\sin^2(22.5^\circ) = 1 - \frac{2+\sqrt{2}}{4} = \frac{2-\sqrt{2}}{4}$ 이므로

$\tan^2(22.5^\circ) = \frac{2-\sqrt{2}}{2+\sqrt{2}} = \frac{(2-\sqrt{2})^2}{2}$ 에서 $\tan(22.5^\circ) = \frac{2-\sqrt{2}}{\sqrt{2}} = \sqrt{2}-1$임을 알 수 있다.

또한 $\sin(90^\circ - \theta) = \cos\theta$를 이용하여 67.5°에 대한 삼각비들도 알 수 있다.

36) X의 의미는 구하지 못한다는 의미가 아니고, 구해도 깔끔하지 않아서 활용도가 떨어지는 값임을 의미한다.

2. 36도, 54도 & 72도, 18도의 삼각비 구하는 1st 방법 : 오각형에서의 닮음 활용

다섯 개의 꼭짓점 A, B, C, D, E가 모두 원 위에 있고, 한 변의 길이가 1인 정오각형을 생각하자.
직선 AC와 직선 EB의 교점을 점 H라 하자.

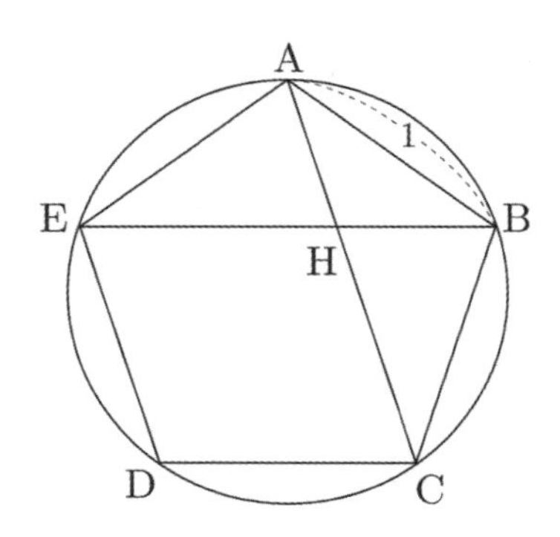

선분 ED와 선분 AC가 서로 평행하고, 선분 EH와 선분 DC가 서로 평행하므로, 사각형 $EHCD$는 평행사변형이고, $\overline{DC}=1$이므로 선분 EH의 길이도 1이다.

한편 원주각의 성질에 의해, $\angle ABE = \angle BAC = \frac{\pi}{5} = 36°$ 이므로, 삼각형 HAB는 이등변삼각형이다.

이 때, $\overline{HA} = \overline{HB} = a$ 라 하자.

마찬가지로 원주각의 성질에 의해 $\angle AEB = \angle ABE = \frac{\pi}{5} = 36°$ 이므로, 삼각형 AEB도 이등변삼각형이다.

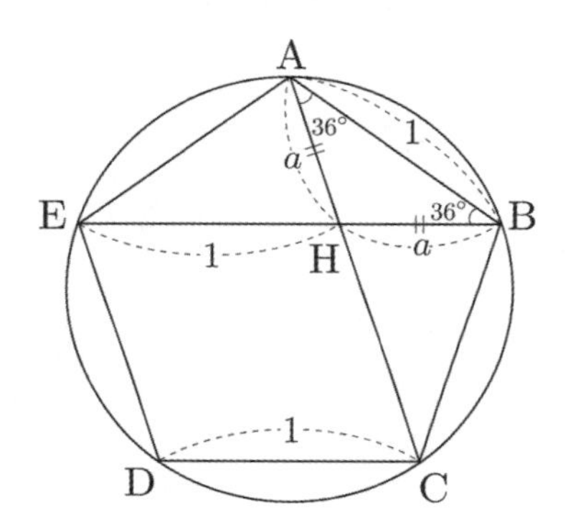

따라서 두 삼각형 HAB과 삼각형 AEB는 서로 닮음이다.

닮음의 성질에 의해 $1 : a+1 = a : 1$이고, 정리하면 $1 = a^2 + a$에서 $a = \frac{-1+\sqrt{5}}{2}$이다.

삼각형 AHB에서 코사인법칙을 사용하면, $a^2 = a^2 + 1 - 2a\cos 36°$ 에서

$\cos 36° = \frac{1}{2a} = \frac{1+\sqrt{5}}{4}$ $(= \sin 54°)$이다. (혹은 점 H에서 수선의 발을 내려서 코사인값을 구하여도 된다.)

또한 $\angle EHA = 72°$ 인 이등변삼각형 EHA에서 수선의 발을 내려 $\cos 72° = \frac{a}{2} = \frac{\sqrt{5}-1}{4}$ $(= \sin 18°)$
까지 알 수 있다.

3. 18도, 36도의 삼각비 구하는 2nd 방법 : 두배각공식과 세배각공식 활용

| $\sin 18^\circ (=\cos 72^\circ)$ 구하기

$18^\circ = x$ 라 두면 $5x = 90^\circ$, $2x = 90^\circ - 3x$이므로 $\sin 2x = \cos 3x$ 이다.

배각공식에 의하여 $2\sin x \cos x = 4\cos^3 x - 3\cos x$이므로

$2\sin x = 4\cos^2 x - 3$ 이고 $2\sin x = 4(1-\sin^2 x) - 3$이다.

이를 정리하면 $4\sin^2 x + 2\sin x - 1 = 0$이며 근의 공식을 사용하면

$\sin x = \dfrac{-1+\sqrt{5}}{4}$ $(\because \sin x > 0)$ 임을 알 수 있다.

따라서 $\sin 18^\circ = \dfrac{\sqrt{5}-1}{4} = \cos 72^\circ$ 이다.

| $\cos 36^\circ (=\sin 54^\circ)$ 구하기

마찬가지로 $36^\circ = y$로 두면 $5y = 180^\circ$, $2y = 180^\circ - 3y$ 이므로 $\sin 2y = \sin 3y$다.

배각공식에 의하여 $2\sin y \cos y = -4\sin^3 y + 3\sin y$이므로

$2\cos y = -4\sin^2 y + 3 = -4(1-\cos^2 y) + 3$ 이다.

이를 정리하면 $4\cos^2 y - 2\cos y - 1 = 0$이며 근의 공식을 사용하면

$\cos y = \dfrac{1+\sqrt{5}}{4}$ $(\because \cos y > 0)$ 임을 알 수 있다.

따라서 $\cos 36^\circ = \dfrac{\sqrt{5}+1}{4} = \sin 54^\circ$ 이다.

사인법칙과 코사인법칙 증명과 Tip

먼저, 우리가 사인법칙과 코사인법칙을 몰랐을 때 $\sin$과 $\cos$을 어떻게 만들어 냈는지 생각해보면 직각삼각형에서 삼각비를 찾았었음을 회상할 수 있다.[37]

사인법칙과 코사인법칙이 없던 저번 교육과정에서 미지의 각 θ에 관련된 문제가 나왔을 때, 그 각을 끼고 있는 직각삼각형을 만들거나 찾는게 핵심이었던 이유도 이것 때문이다.

즉, 사인법칙과 코사인법칙의 증명도 결국은 직각삼각형을 만드는 것이 핵심이 됨을 명심하자.

1. 사인법칙과 증명

삼각형 ABC의 외접원의 반지름의 길이를 R 라 하면

$$\frac{a}{\sin A} = \frac{b}{\sin B} = \frac{c}{\sin C} = 2R$$

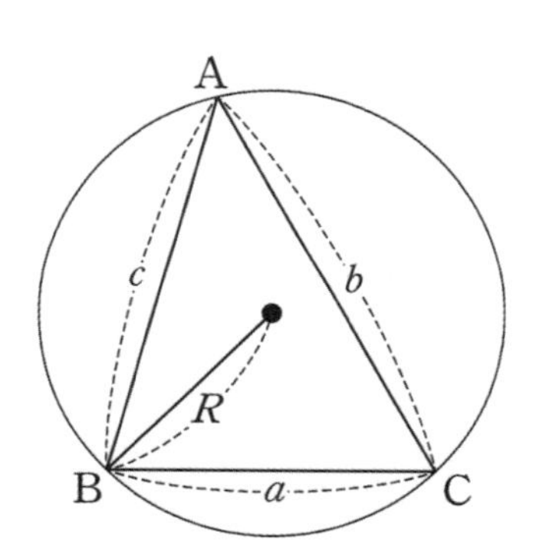

37) 엄밀한 정의는 단위원에서 나오는게 맞지만, 시험 현장에서의 현실적인 정의는 직각삼각형으로 보는 것이 맞다.

사인법칙 증명의 시작은 원주각이고 끝은 직각삼각형 (삼각비 정의)이다.

원의 특정 현에 대한 원주각 θ는 일정하다는 성질을 이용하여 θ를 끼고 있는 직각삼각형을 만들어서 $\sin$을 만들기. 이것이 우리의 목표이다.

증명 1

$i)$ 삼각형 ABC가 예각삼각형일 때,

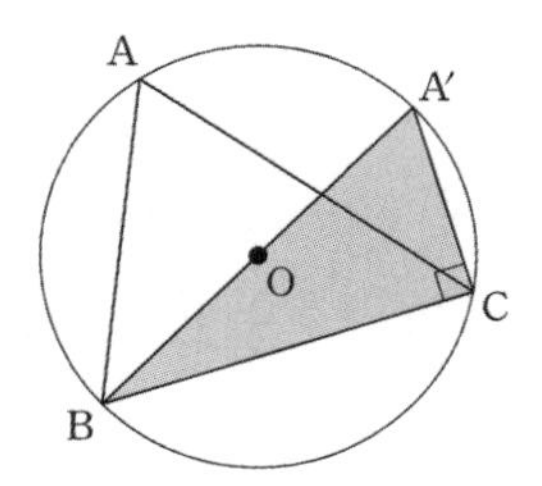

원주각의 성질을 이용하여 $\angle\mathrm{BAC}$를 $\angle\mathrm{BA'C}$로 옮겨준다. 이 때, 선분 $\mathrm{A'B}$가 외접원의 지름이 되도록 점 $\mathrm{A'}$를 잡아준다. 그러면 $\angle\mathrm{BCA'}=\frac{\pi}{2}$, $\overline{\mathrm{A'B}}=2\mathrm{R}$, $\overline{\mathrm{BC}}=a$ 이므로 $\sin A'=\frac{a}{2R}=\sin A$ 이다.

마찬가지 방법으로 점 B, C에도 적용시켜주면 사인법칙을 증명할 수 있다.

$ii)$ 삼각형 ABC가 둔각삼각형일 때,

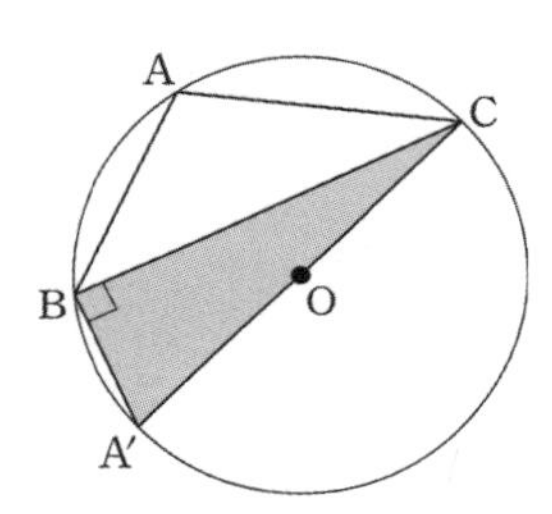

선분 $\mathrm{A'C}$가 외접원의 지름이 되도록 점 $\mathrm{A'}$를 잡는다. 그러면 둔각삼각형 특성상 위의 그림과 같이 원에 내접한 사각형 꼴이 나오게 된다.

$\angle\mathrm{CBA'}=\frac{\pi}{2}$, $\overline{\mathrm{A'C}}=2R$, $\overline{\mathrm{BC}}=a$ 이고 $\sin(\angle\mathrm{BAC})=\sin(\angle\mathrm{BA'C})$ ($\because$ $\sin(\pi-\theta)=\sin\theta$ 이므로 $i)$과 같은 방법으로 증명된다.

$iii)$ 삼각형 ABC가 직각삼각형일 때는 너무 자명하게 성립한다. Pass

증명 2

삼각형 ABC의 넓이 S를 나타내는 방법으로

$S=\dfrac{1}{2}ab\sin C=\dfrac{1}{2}bc\sin A=\dfrac{1}{2}ca\sin B$

가 있다. 이 모든 식에 $\dfrac{2}{abc}$를 곱하면 $\dfrac{\sin C}{c}=\dfrac{\sin A}{a}=\dfrac{\sin B}{b}$가 나오므로 좀 더 쉽게 사인법칙을 증명할 수 있다.

물론 이 값이 $\dfrac{1}{2R}$로 같은지는 알 수 없기 때문에 이 부분은 어쩔 수 없이 증명해줘야 한다.

이것의 증명은 세 각 A, B, C 중 예각 하나를 잡고 증명 1의 $i)$과 똑같이 해주면 된다.
이미 같은 값으로 일정하다는 사실을 알고 있기 때문에 굳이 $ii)$, $iii)$의 과정을 거치지 않아도 된다는 점에서 이 증명이 훨씬 편하다.

2. 코사인법칙과 증명

삼각형 ABC에서 다음 법칙이 성립하며 이를 코사인법칙이라 한다.

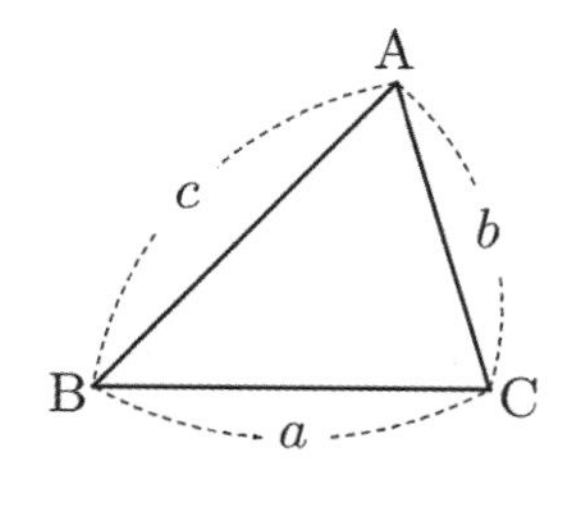

$$a^2 = b^2 + c^2 - 2bc\cos A$$

코사인법칙의 일반적 증명의 시작은 수선의 발이고 끝은 직각삼각형 (피타고라스의 정리) 이다.

우리의 목표는 한 꼭짓점에서 대변에 수선의 발을 내려 두 개의 직각삼각형을 만들어서 피타고라스의 정리 사용하기.

주의해야할 점은 예각삼각형, 직각삼각형, 둔각삼각형 등 종류에 따라 수선의 발 위치가 달라질 수 있음을 유념하여 증명해야한다는 것이다.

하지만 이러한 기본적 증명보다 '삼각함수의 정의'를 활용하여 점의 좌표를 설정하면 이보다 쉽게 증명할 수 있다. 이 책에서는 이 증명이 좀 더 실전적이라 판단하여 다음 증명을 제시한다.

증명

점 A는 $(b\cos\theta,\ b\sin\theta)$, 점 B는 $(a,\ 0)$, 점 C는 원점으로 두면
$\overline{\mathrm{AC}} = b$, $\overline{\mathrm{BC}} = a$ 이다.[38]
$\overline{\mathrm{AB}} = c$라 하고 두 점 사이의 거리공식을 이용하면

$$c^2 = (b\cos\theta - a)^2 + (b\sin\theta)^2 = a^2 + b^2 - 2ab\cos\theta$$

임을 알 수 있다.

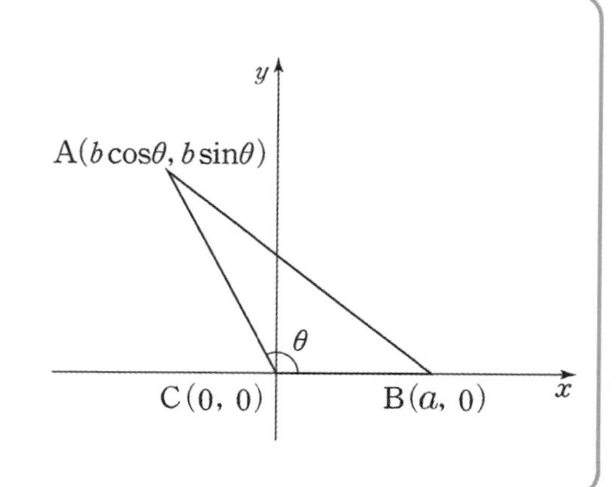

38) 점 B를 $(b,\ 0)$이 아닌 $(a,\ 0)$으로 잡은 이유는 일반적으로 각 A(대문자)의 대변의 길이를 a(소문자)로 나타내기 때문이다.

3. 사인법칙과 코사인법칙 단골 삼각형

특수각이 있으면서 길이비가 간단한 삼각형에서 사인법칙과 코사인법칙이 자주 활용된다. 참고로 삼각형의 비율과 각도를 달달 외우는게 목표가 아님을 명심하자.[39] 세 변의 길이가 3:5:7인 삼각형을 만났을 때,

'어? 이 삼각형, 세 각 중 하나가 특수각 이었던 거 같은데? 코사인법칙으로 각도 구해볼까?'

라는 접근을 할 수 있는 것만으로 충분하니, 눈에 잠시 담아두도록 하자.

① $1:1:\sqrt{3}$

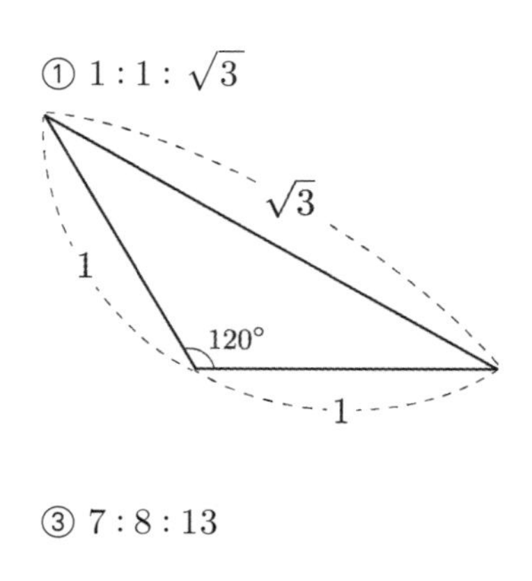

② $3:5:7$

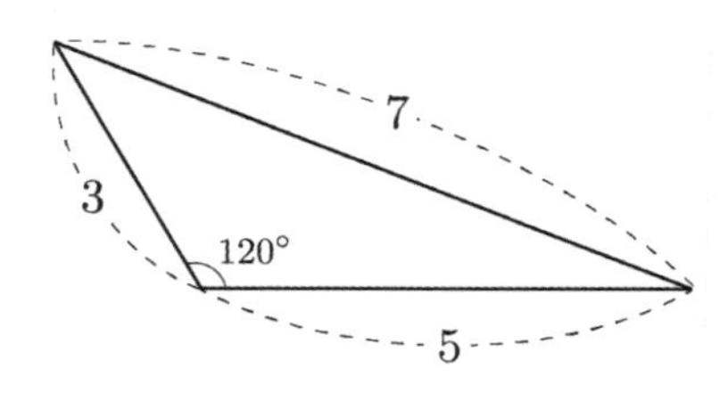

③ $7:8:13$

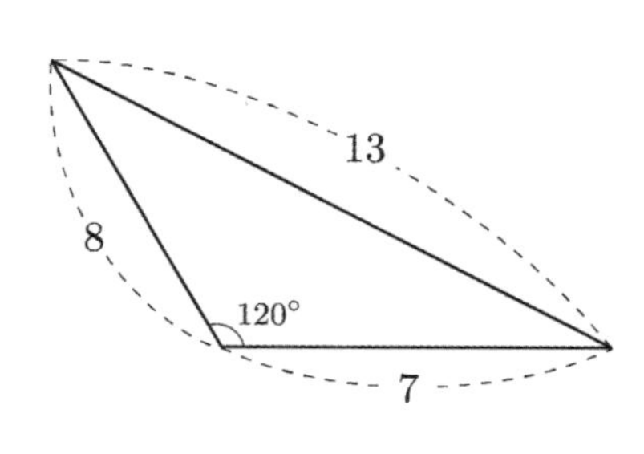

④ $5:7:8$

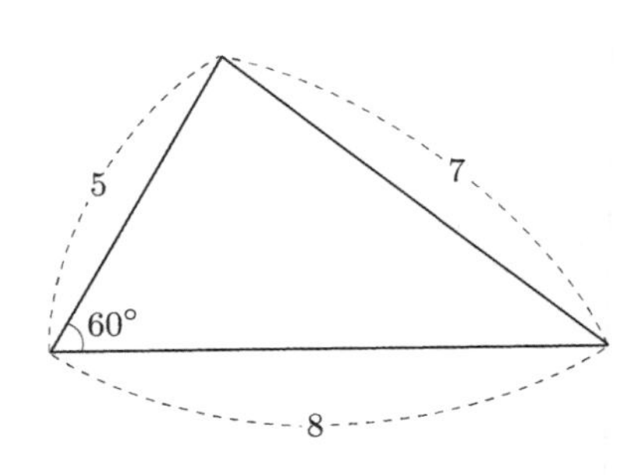

⑤ $3:7:8$

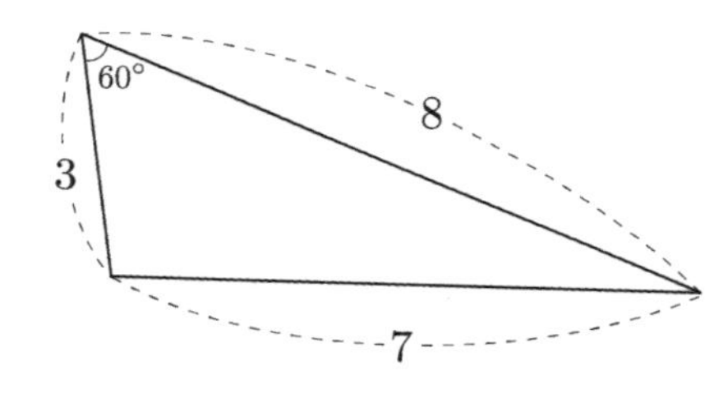

⑥ $8:13:15$

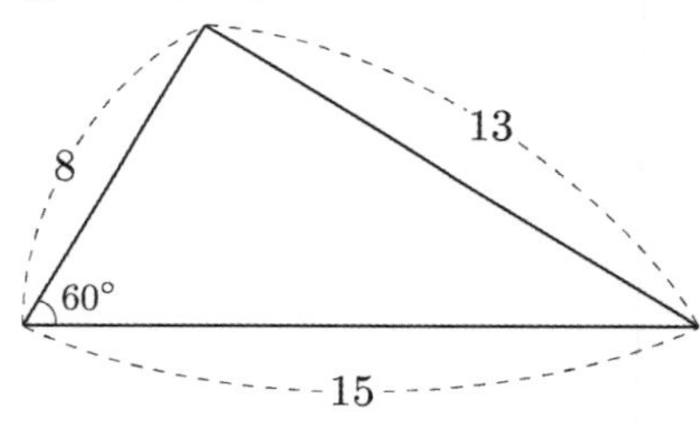

cf. ④, ⑤ 삼각형을 이어붙이면 한 변의 길이가 8인 정삼각형이 나온다. 사실 이 두 삼각형은 이 정삼각형에서 태어난 놈이다.

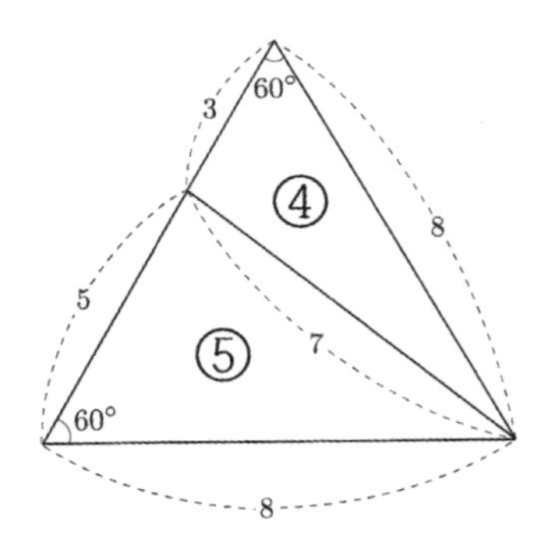

39) 물론 본인 뇌 용량이 넘쳐나면, 외워도 상관은 없다 :)

4. 사인법칙과 코사인법칙의 사용 타이밍 Tip

아직도 헤매고 있을 친구들을 위해 간략히 표로 정리해주겠다.
고민 없는 암기는 수학실력 향상에 도움을 주지 않는다. 이 케이스에서 왜 이렇게 하는게 합리적인지 사인법칙과 코사인법칙을 써놓고 고민해보는 것. 그것이 우리의 학습목표다.

<table>
<tr><th>주어진 삼각형
ABC 정보</th><th>각 A</th><th>각 B</th><th>각 C</th><th>각 A, 각 B
(세 각을 아는 상황)</th></tr>
<tr><td>변 a</td><td>사인법칙으로
외접원 지름</td><td>X</td><td>X</td><td rowspan="3">사인법칙으로
나머지 변들을 구하기.
코사인법칙은 웬만하면 사용되지 않는다.</td></tr>
<tr><td>변 b</td><td>X</td><td>사인법칙으로
외접원 지름</td><td>X</td></tr>
<tr><td>변 c</td><td>X</td><td>X</td><td>사인법칙으로
외접원 지름</td></tr>
<tr><td>변 a, b</td><td rowspan="3">코사인법칙</td><td rowspan="3">코사인법칙</td><td rowspan="3">코사인법칙</td><td rowspan="3">사인법칙
코사인법칙
모두 사용 가능</td></tr>
<tr><td>변 b, c</td></tr>
<tr><td>변 c, a</td></tr>
<tr><td>변 a, b, c</td><td colspan="4">코사인법칙으로 필요한 각을 알아낸 후 문제의 답을 맞추면 된다.
사인법칙은 외접원의 둘레나 넓이를 묻는 경우에만 유동적으로 활용해주면 달달하다.</td></tr>
<tr><td>종합</td><td colspan="4">삼각형는 세 변 a, b, c와 세 각 A, B, C 총 6개의 요소로 구성된다.
그 중 사인법칙은 2개 이상의 요소를 알 때 사용할 수 있고,
코사인법칙은 3개 이상의 요소를 알아야만 쓸 수 있음을 확인할 수 있다.
($cf.$ 정보의 개수만 보면 사인법칙이 더 유용해 보이지만, 2개의 요소를 알 땐 외접원의 정보만 알 수 있을 정도로 한정적이었기 때문에 웬만하면 3개의 요소를 구한 후 사인법칙과 코사인법칙을 써야겠다는 생각을 해주는게 좋겠다.)
즉 6개의 요소 중 3개 이상의 요소를 알 때 적극적으로 활용할 수 있다는 건데, 왜 하필 6개의 절반인 3개 이상을 알아야 하는 걸까? 이유는

★ 삼각형의 결정조건
① 세 변의 길이가 주어졌을 때
② 두 변의 길이와 그 끼인 각이 주어졌을 때
③ 한 변의 길이와 양 끝 각이 주어졌을 때

때문이다. 물론 약간의 차이는 있다. ② 와는 달리 끼인 각이 아니고 두 변에 끼어있지 않은 각을 알아도 코사인법칙을 활용할 수 있다. 단순하게는, 코사인법칙은 3개 이상의 요소들을 알 때 쓴다! 라고 생각하면 좋다. 요소가 부족하다면, 다른 조건들 (ex. 원의 내접 성질, 원주각 등) 을 통해 추가 요소를 구해내야 한다.</td></tr>
</table>

사인법칙과 코사인법칙의 활용

1. 세 변 길이 표현 방법

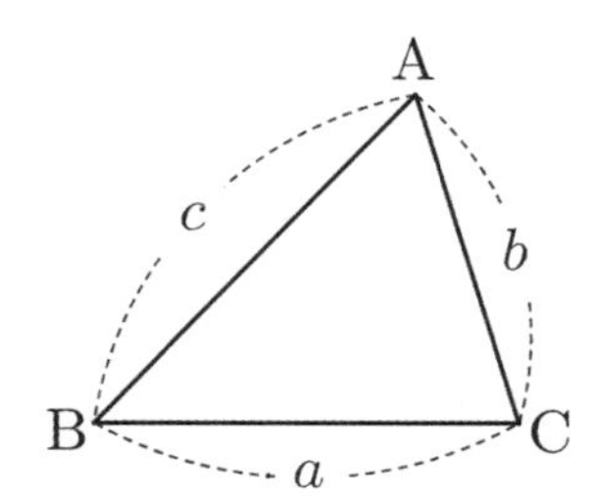

사인법칙을 정리해보면 $a=2R\sin A,\ b=2R\sin B,\ c=2R\sin C$ 이다. ⋯ ⓐ
(이를 비례식으로 나타내보면 $a:b:c=\sin A:\sin B:\sin C$ 임을 알 수 있다.)

2. 삼각형의 넓이

삼각형 ABC의 넓이 S 는 일반적으로 $S=\frac{1}{2}ab\sin C$ 로 표현된다. ⋯ ⓑ

또한 사인법칙에 의하여 $\frac{c}{\sin C}=2R,\ \sin C=\frac{c}{2R}$ 이다. ⋯ ⓒ

ⓒ를 ⓑ에 대입하면 $S=\frac{abc}{4R}$ 임을 알 수 있다.

이번엔 ⓐ를 ⓑ에 대입해보면 $S=\frac{1}{2}ab\sin C=2R^2\sin A\sin B\sin C$ 로도 표현됨을 알 수 있다.

한편, 삼각형 ABC의 내접원의 반지름을 r라 하면 $S=\frac{1}{2}r\times(a+b+c)$이고, 이 식에 ⓐ를 대입하면 $S=rR\times(\sin A+\sin B+\sin C)$ 라는 식을 알 수 있다. 수능에선 잘 쓰이지 않지만, 수리논술에서 활용될 수 있으니 알아두도록 하자.

3. 각의 이등분선 정리

| 내각의 이등분선 정리

삼각형 ABC의 변 BC 위의 점 D에 대하여 선분 AD가 내각 A를 이등분할 때,

$$\overline{\mathrm{AB}} : \overline{\mathrm{AC}} = \overline{\mathrm{BD}} : \overline{\mathrm{DC}}$$

를 만족시킨다.

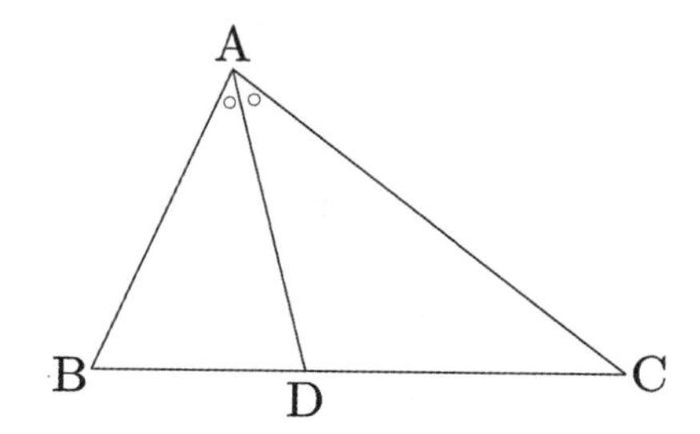

닮음을 이용한 증명 등 다양한 증명이 있지만, 사인법칙으로 증명을 한번 해보는 것도 좋겠다.

증명

$\angle \mathrm{ADB} = \triangle$라 하면 $\angle \mathrm{ADC} = \pi - \triangle$ 이고 $\sin\triangle = \sin(\pi - \triangle)$ 이다.

삼각형 ABD에서 사인법칙에 의하여 $\dfrac{\overline{\mathrm{BD}}}{\sin\circ} = \dfrac{\overline{\mathrm{AB}}}{\sin\triangle}$ 이고

삼각형 ACD에서 사인법칙에 의하여 $\dfrac{\overline{\mathrm{CD}}}{\sin\circ} = \dfrac{\overline{\mathrm{AC}}}{\sin(\pi - \triangle)}$ 이므로 두 식을 나누면 $\dfrac{\overline{\mathrm{BD}}}{\overline{\mathrm{CD}}} = \dfrac{\overline{\mathrm{AB}}}{\overline{\mathrm{AC}}}$ 이다.

이를 비례식으로 나타내면 $\overline{\mathrm{AB}} : \overline{\mathrm{AC}} = \overline{\mathrm{BD}} : \overline{\mathrm{DC}}$임을 알 수 있다.

외각의 이등분선 정리

삼각형 ABC의 변 BC의 연장선 위의 점 E에 대하여 선분 AE가 외각 A를 이등분할 때,

$$\overline{AB}:\overline{AC}=\overline{BE}:\overline{EC}$$

를 만족시킨다.

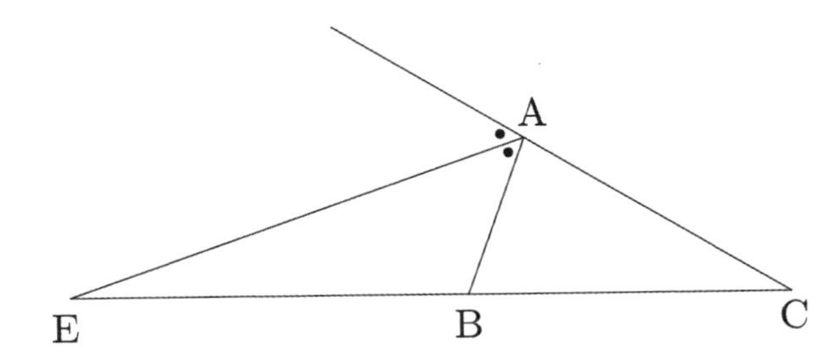

외각의 이등분선 정리는 사실 잘 쓰이지 않으므로 간단히 리뷰만 하고 증명은 Pass 한다.

이등분선 정리 둘의 결합

내각과 외각의 두 이등분선을 조합하면 다음과 같은 상황을 상상할 수 있다.

$\overline{AB}:\overline{AC}=m:n$인 삼각형 ABC에 대하여 선분 BC의 $m:n$ 내분점과 $m:n$ 외분점을 각각 D, E라 하면 $\angle DAE=90^\circ$ 이다. (=점 A는 지름이 DE인 원 위에 있다.)

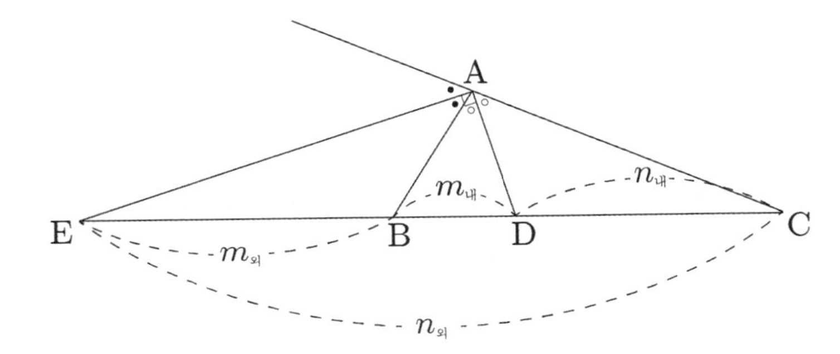

증명

외각과 내각의 합은 180° 이고, 각각을 이등분하는 선 사이의 각은 $\frac{180^\circ}{2}=90^\circ$ 인 것은 자명하다.

4. 스튜와트 정리

다음과 같은 삼각형 ABC에 대하여 $na^2+mb^2=(m+n)(p^2+mn)$이 성립한다.

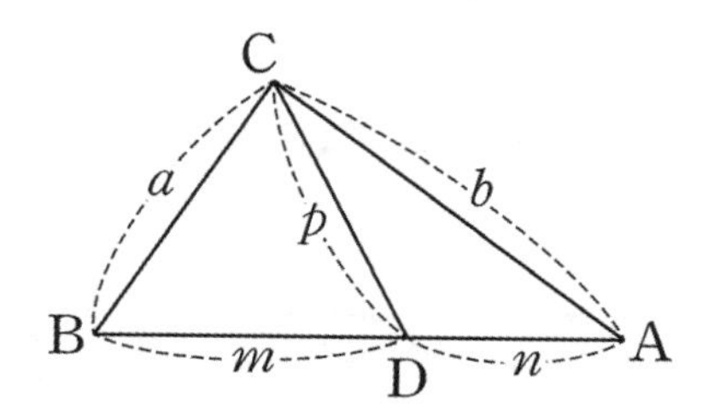

증명

$\angle \mathrm{BDC}=\theta$라 하면 $\angle \mathrm{ADC}=\pi-\theta$ 이다.

왼쪽 삼각형 BDC에서 코사인법칙에 의하여 $\cos\theta=\dfrac{p^2+m^2-a^2}{2pm}$ ⋯ ① 이고

오른쪽 삼각형 ADC에서 코사인법칙에 의하여 $\cos(\pi-\theta)=\dfrac{p^2+n^2-b^2}{2pn}$ ⋯ ② 이므로

①, ② 에 의하여 $\dfrac{p^2+m^2-a^2}{2pm}=-\dfrac{p^2+n^2-b^2}{2pn}$ 이다. ($\because \cos(\pi-\theta)=-\cos\theta$)

이를 정리하면 $na^2+mb^2=(m+n)(p^2+mn)$임을 알 수 있다.

| 스튜와트 정리와 내각의 이등분선 정리 콜라보

내각의 이등분선 AD에 대하여

$$\overline{\mathrm{AD}}=\sqrt{\overline{\mathrm{AB}}\times\overline{\mathrm{AC}}-\overline{\mathrm{BD}}\times\overline{\mathrm{CD}}}$$

를 만족시킨다.

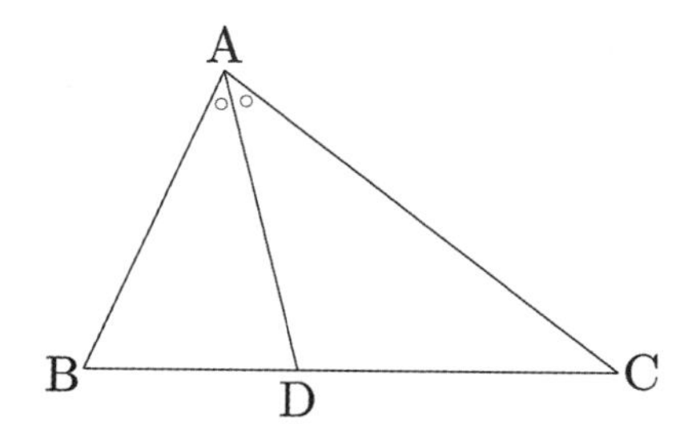

증명

내각의 이등분선 정리에 의해 $\overline{\mathrm{AB}}=a$, $\overline{\mathrm{AC}}=b$, $\overline{\mathrm{BD}}=ak$, $\overline{\mathrm{CD}}=bk$ (비례상수 k)로 둘 수 있다.

이 값들을 스튜와트 정리에 대입하여 정리해주면 $\overline{\mathrm{AD}}=\sqrt{\overline{\mathrm{AB}}\times\overline{\mathrm{AC}}-\overline{\mathrm{BD}}\times\overline{\mathrm{CD}}}$ 임을 알 수 있다.

| 중선 정리

삼각형 ABC의 변 AB의 중점 M에 대하여 $p=\overline{\mathrm{CM}}$, $m=\overline{\mathrm{AM}}$라 할 때, $a^2+b^2=2(p^2+m^2)$ 이다.

증명

위의 그림에서 점 D가 선분 AB의 중점인 경우이므로, 스튜와트 정리[40]에 $m=n$을 대입하면 $a^2+b^2=2(p^2+m^2)$임을 알 수 있다.

5. 헤론의 공식

세 변의 길이가 a, b, c인 삼각형의 넓이 S를 다음과 같이 표현할 수 있다.

$$S=\sqrt{p(p-a)(p-b)(p-c)} \ \left(\text{단, } p=\frac{a+b+c}{2}\right)$$

증명

$$\begin{aligned}
S&=\frac{1}{2}bc\sin A\\
&=\frac{1}{2}bc\sqrt{1-\cos^2 A} \ (\sin^2 A+\cos^2 A=1,\ \sin A\text{는 양수이므로})\\
&=\frac{1}{2}bc\sqrt{1-\left(\frac{b^2+c^2-a^2}{2bc}\right)^2} \ (\because \text{ 코사인 법칙})\\
&=\frac{1}{2}\sqrt{(bc)^2-\left(\frac{b^2+c^2-a^2}{2}\right)^2}\\
&=\frac{1}{2}\sqrt{\left(bc-\frac{b^2+c^2-a^2}{2}\right)\left(bc+\frac{b^2+c^2-a^2}{2}\right)} \ (\text{ 합차공식 활용 : } x^2-y^2=(x-y)(x+y)\ )\\
&=\frac{1}{4}\sqrt{(a^2-(b-c)^2)((b+c)^2-a^2)}\\
&=\sqrt{p(p-a)(p-b)(p-c)} \ \left(p=\frac{a+b+c}{2}\right)
\end{aligned}$$

40) 증명과정이 중복이라 본 책에서 이렇게 넘어갔을 뿐, 실전 답안에서는 스튜어트 정리와 같은 증명 과정을 적어줘야 한다.

| 브라마굽타의 정리

오른쪽 그림과 같이 연속한 네 변의 길이가 a, b, c, d이고 원에 내접하는 사각형 ABCD의 넓이 S를 다음과 같이 표현할 수 있다.

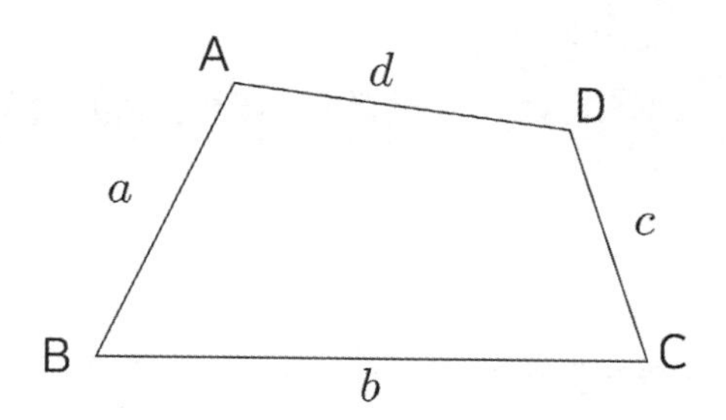

$$S=\sqrt{(p-a)(p-b)(p-c)(p-d)}$$

(단, $p=\dfrac{a+b+c+d}{2}$)

증명

$\angle$A와 $\angle$C의 크기를 각각 A와 C라 하면, $A+C=180^\circ$이다.
그러므로 $\cos A=\cos(180^\circ-C)=-\cos C$이다. 또한 두 삼각형 ABD, CBD에서 선분 BD의 길이를 코사인법칙으로 나타내면 다음 등식을 얻는다.

$\overline{\mathrm{BD}}^2=a^2+d^2-2ad\cos A=b^2+c^2-2bc\cos C=b^2+c^2+2bc\cos A$

이를 정리하면 $2(ad+bc)\cos A=a^2+d^2-b^2-c^2$, $\cos A=\dfrac{a^2+d^2-b^2-c^2}{2(ad+bc)}$ … ① 이다.

한편 □ABCD의 넓이 S는

$$S=\triangle\mathrm{ABD}+\triangle\mathrm{BCD}=\frac{1}{2}ad\sin A+\frac{1}{2}bc\sin C$$
$$=\frac{1}{2}ad\sin A+\frac{1}{2}bc\sin(180^\circ-A)=\frac{1}{2}ad\sin A+\frac{1}{2}bc\sin A$$
$$=\frac{1}{2}(ad+bc)\sin A$$ 이고

$\sin A=\sqrt{1-\cos^2 A}$ 이므로, 이 모든 사실을 종합하여 정리하면 다음과 같다.

$$S=\frac{1}{2}(ad+bc)\sqrt{1-\cos^2 A}$$
$$=\frac{1}{2}(ad+bc)\sqrt{(1-\cos A)(1+\cos A)}$$
$$=\frac{1}{2}(ad+bc)\sqrt{\frac{(2ad+2bc-a^2-d^2+b^2+c^2)}{2(ad+bc)}\frac{(2ad+2bc+a^2+d^2-b^2-c^2)}{2(ad+bc)}}\quad(\because ①)$$
$$=\frac{1}{2}\sqrt{\frac{\{(b+c)^2-(a-d)^2\}}{2}\frac{\{(a+d)^2-(b-c)^2\}}{2}}$$
$$=\sqrt{\frac{(b+c-a+d)}{2}\frac{(b+c+a-d)}{2}\frac{(a+d-b+c)}{2}\frac{(a+d+b-c)}{2}}$$
$$=\sqrt{\frac{(2p-2a)}{2}\frac{(2p-2d)}{2}\frac{(2p-2b)}{2}\frac{(2p-2c)}{2}}$$
$$=\sqrt{(p-a)(p-b)(p-c)(p-d)}$$

실전 논제 풀어보기

- 해설집에 있는 논제에 대한 해설 중 어려운 부분의 이해를 도와주는 영상을 QR코드를 통해 볼 수 있습니다.
  완벽한 해설 강의가 아니기 때문에, 시청 전에 해설을 먼저 읽어본 후 QR코드의 강의를 활용하기 바랍니다.
- 답안지 Box의 점선 줄은 다음과 같이 활용하세요.
  ⓐ 답안 첫 두 줄을 점선 줄 위에서부터 시작해서, 아래 답안들도 줄이 삐뚤어지지 않도록 맞춰 써보세요.
  읽기 편한 글씨체와 줄 맞춰 쓰기는 채점관에게 좋은 인상의 답안이 되기 위한 기본기입니다 :)
  ⓑ 줄 맞춰 쓸 연습이 필요 없다면, 이 문제에 쓰이는 필수 Idea를 필기하는 용도로 활용하세요.

논제 8

★★★☆☆ 2016 성균관대

제시문

〈제시문1〉

오른쪽 그림과 같이 좌표평면 위에 중심이 원점 O 이고 반지름이 1 인 원 위에 점 $P_0(0,\ 1)$ 을 잡는다. 선분 OP_0 을 원점을 중심으로 하여 시계방향으로 $\frac{\pi}{4}$ 만큼 회전시킨 선분 위에, 점 P_0 으로부터 내린 수선의 발을 점 P_1 이라고 한다. 다시 선분 OP_1 을 원점을 중심으로 하여 시계방향으로 $\frac{\pi}{8}$ 만큼 회전시킨 선분 위에, 점 P_1 에서 내린 수선의 발을 점 P_2 라고 한다. 위의 과정을 n 번 반복하였을 때 생기는 점을 P_n 이라고 한다. 즉, 선분 OP_{n-1} 을 원점을 중심으로 하여 시계방향으로 $\frac{\pi}{2^{n+1}}$ 만큼 회전시킨 선분 위에, 점 P_{n-1} 에서 내린 수선의 발을 점 P_n 이라고 한다. 이때, 점 P_n 의 좌표는 $(x_n,\ y_n)$ 이라고 한다.

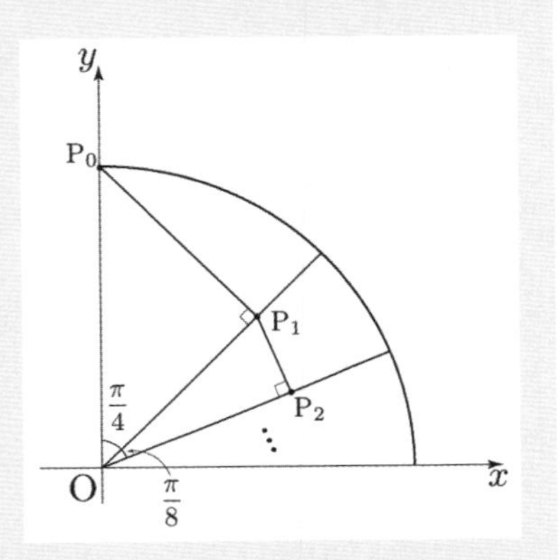

〈제시문2〉

$\lim_{x \to 0} \frac{\sin x}{x}$ 의 값은 1 이다. (단, x 의 단위는 라디안)

[1] 점 P_1 의 좌표 $(x_1,\ y_1)$ 을 구하고, 그 이유를 논하시오.

[2] $\sum_{n=0}^{\infty} y_n$ 의 값을 구하고, 그 이유를 논하시오.

[3] $\lim_{n \to \infty} x_n$ 의 값을 구하고, 그 이유를 논하시오.

답안지

논제 9 ★★☆☆☆ 2021 건국대 모의논술

제시문

(가) 삼각형의 세 변의 길이와 세 각의 크기 사이의 관계를 나타내는 법칙에는 사인법칙과 코사인법칙이 있다. 이들 법칙을 이용하면, 삼각형의 내각의 크기가 클수록 그 대변의 길이도 긴 것을 알 수 있다.

(나) 좌표 평면 위에 점 A$(1, 0)$과 B$(3, 0)$이 있다. [그림 1]에서 점 X는 직선 $y=x$ 위에서 움직이고 [그림 2]에서 점 Y는 제1사분면 위에 있으며 중심이 원점이고 반지름의 길이가 4인 원 위를 움직인다.

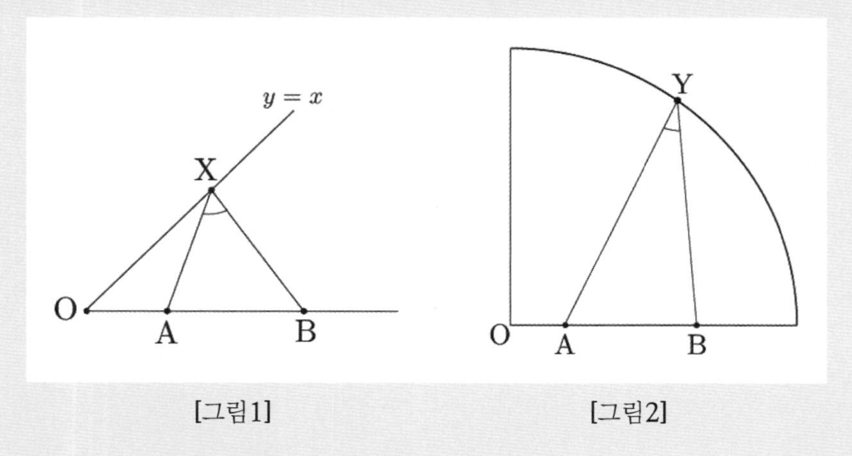

[그림1] [그림2]

[1] $\sin^2(\angle \mathrm{AXB})$의 값 중 가장 큰 것을 구하시오. 풀이 과정도 함께 쓰시오.

[2] $\angle \mathrm{AYB}$의 값이 가장 클 때, 점 Y의 좌표를 구하시오. 풀이 과정도 함께 쓰시오.

연습지

답안지

중심이 원점 O이고 반지름의 길이가 2 인 원을 나타낸 것이다. 원 위에 점 $\mathrm{A}(-\sqrt{2},\ \sqrt{2})$와 $\mathrm{B}(\sqrt{2},\ \sqrt{2})$가 있다. 원 밖의 점 P 에 대하여 선분 AP 와 원의 교점이 C, 선분 BP 와 원의 교점이 D 이다.

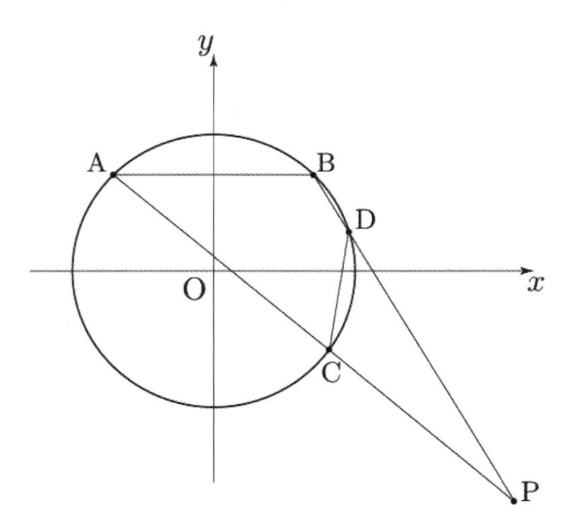

$\overline{\mathrm{CD}}=2$일 때, $\overline{\mathrm{AP}}$의 값 중 가장 큰 것을 구하고 풀이 과정을 쓰시오. (단, $\sin 15^{\circ}=\dfrac{\sqrt{6}-\sqrt{2}}{4}$)

연습지

답안지

Show
and
Prove

기대T 수리논술 수업 상세안내

수업명	수업 상세 안내 (지난 수업 영상수강 가능)
정규반 프리시즌 (2월)	- 수리논술만의 특징인 '답안작성 능력'과 '증명 능력'을 향상 시키는 수업 - 수험생은 물론 강사도 가질 수 있는 '증명 오개념'을 타파시키는 수학 전공자의 수업
정규반 시즌1 (3월)	- 수능/내신 공부와 다른 수리논술 공부의 결 & 방향성을 잡아주는 수업 - 삼각함수 & 수열의 콜라보 등 논술형 발전성을 체감해볼 수 있는 실전 내용 수업
정규반 시즌2 (4~5월)	- 수리논술에서 50% 이상의 비중을 차지하는 수리논술용 미적분을 집중 해석하는 수업 - 수리논술에도 존재하는 행동 영역을 통해 고난도 문제의 체감 난이도를 낮춰주는 수업 - 대학의 모범답안을 보고도 '이런 아이디어를 내가 어떻게 생각해내지?'라는 생각이 드는 학생들도 납득 가능하고 감탄할 만한 문제접근법을 제시해주는 수업
정규반 시즌3 (6~7월)	- 상위권 대학의 합격 당락을 가르는 고난도 주제들을 총정리하는 수업 - 아래 학교의 수리논술 합격을 바라는 학생들이라면 강추 (메디컬, 고려, 연세, 한양, 서강, 서울시립, 경희, 이화, 숙명, 세종, 서울과기대, 인하)
선택과목 특강 (선택확통 / 선택기하)	- 수능/내신의 빈출 Point와의 괴리감이 제일 큰 두 과목인 확통/기하의 내용을 철저히 수리논술 빈출 Point에 맞게 피팅하여 다루는 Compact 강의 (영상 수강 전용 강의) - 확통/기하 각각 2~3강씩으로 구성된 실전+심화 수업 (교과서 개념 선제 학습 필요) - 상위권 학교 지원자들은 꼭 알아야 하는 필수내용 / 6월 또는 7월 내로 완강 추천
Semi Final (8월)	- 본인에게 유리한 출제 스타일인 학교를 탐색하여 원서지원부터 이기고 들어갈 수 있도록 태어난 새로운 수업 (모든 대학을 출제유형별로 A그룹~D그룹으로 분류 후 분석) - 최신기출 (작년 기출+올해 모의) 중 주요 문항 선별 통해 주요대학 최근 출제 경향 파악
고난도 문제풀이반 For 메디컬/고/연/서성한시	- 2월~8월 사이 배운 모든 수리논술 실전 개념들을 고난도 문제에 적용 해보는 수업 - 전형적인 고난도 문제부터 출제될 시 경쟁자와 차별될 수 있는 창의적 신유형 문제까지 다양하게 만나볼 수 있는 수업
학교별 Final (수능전 / 수능후)	- 학교별 고유 출제 스타일에 맞는 문제들만 정조준하여 분석하는 Final 수업 - 빈출 주제 특강 + 예상 문제 모의고사 응시 후 해설 & 첨삭 - 고승률 문제접근 Tip을 파악하기 쉽도록 기출 선별 자료집 제공 (학교별 상이)
첨삭	수업 형태 (현장 강의 수강, 온라인 수강) 상관없이 모든 학생들에게 첨삭이 제공됩니다. 1차 서면 첨삭 후 학생이 첨삭 내용을 제대로 이해했는지 확인하기 위해, 답안을 재작성하여 2차 대면 첨삭영상을 추가로 제공받을 수 있습니다. 이를 통해 학생은 6~10번 이내에 합격급으로 논리적인 답안을 쓸 수 있게 되며, 이후에는 문제풀이 Idea 흡수에 매진하면 됩니다.

정규반 안내사항 (아래 QR코드 참고)

대학별 Final 안내사항 (아래 QR코드 참고)

수열

Show and Prove

4-1

Chapter 4. 수열

점화식으로 표현된 수열

1. 점화식으로 표현된 수열 - 교과 버전

현 교육과정에서의 수열은 '값을 대입하며 수열의 규칙을 발견적으로 추론하기'라는 학습 목표에 방점이 찍힌 단원이다. 그럼에도 불구하고 논술에서는 여전히 구 교육과정의 학습목표였던 '점화식으로부터 a_n 구하기' 문제를 심심찮게 볼 수 있다.

하지만 이것의 출제가 교육과정을 지키지 않은 못된 짓으로 판단될 필요는 없다. 점화식을 직접적으로 묻는 문제가 아닌 삼각함수의 내용이나 수학적 귀납법 같은 증명 문제 등 여러 부분으로 우회하여 물어볼 수 있기 때문에, 이 파트는 여전히 수리논술에서 매력적인 출제 포인트가 될 수 있다. 따라서 우리는 약간이라도 공부해둘 필요가 있다.

| $a_{n+1} = a_n + f(n)$ 꼴 점화식

$n = 1,\ 2,\ 3,\ \cdots, n$을 차례대로 대입한 후 모든 변을 더하면 $a_n = a_1 + \sum_{k=1}^{n-1} f(k)$ 로 유도된다.

이 때 $f(n)$이 상수라면 수열 $\{a_n\}$은 등차수열이다.

예제 1 ★☆☆☆☆ 연습문제

$a_1 = 1,\ a_{n+1} = a_n + 2^n$ 을 만족시킬 때, 수열 $\{a_n\}$의 일반항을 구하시오.

연습지

해설 1

$a_{n+1} = a_n + 2^n$에 $n = 1,\ 2,\ 3,\ \cdots, n$을 차례대로 대입하면

$a_2 = a_1 + 2$

$a_3 = a_2 + 2^2$

$a_4 = a_3 + 2^3$

$\cdots$

$a_{n+1} = a_n + 2^n$

이고, 양변을 변변 더하면

$a_2 + \cdots + a_{n+1} = a_1 + a_2 + \cdots + a_n + 2 + 2^2 + 2^3 + 2^4 + \ \cdots\ + 2^n$ 이므로

$a_{n+1} = a_1 + 2 + 2^2 + 2^3 + 2^4 + \ \cdots\ + 2^n\ = 1 + \dfrac{2(2^n - 1)}{2-1} = 2^{n+1} - 1$이다.

따라서, 수열 $\{a_n\}$의 일반항은 $a_n = 2^n - 1$이다.

| $a_{n+1}=f(n)\times a_n$꼴 점화식

$n=1,\ 2,\ 3,\ \cdots,\ n$을 차례대로 대입한 후 모든 변을 곱하면 $a_n=a_1\times\prod_{k=1}^{n-1}f(k)$으로 유도된다.

$\prod$는 $\prod_{k=1}^{n}f(k)=f(1)\times f(2)\times\cdots\times f(n)$을 의미하는 기호이며, $f(n)$이 상수라면 수열 $\{a_n\}$은 등비수열이다.

예제 2 ★★☆☆☆ 연습문제

$a_1=\frac{1}{2},\ a_{n+1}=\frac{n}{n+2}a_n$ 을 만족시킬 때, 수열 $\{a_n\}$의 일반항을 구하시오.

연습지

해설 2

$a_{n+1}=\frac{n}{n+2}a_n$에 $n=1,\ 2,\ 3,\ \cdots,\ n$을 차례대로 대입하면

$a_2=\frac{1}{3}a_1$

$a_3=\frac{2}{4}a_2$

$\cdots$

$a_{n+1}=\frac{n}{n+2}a_n$

이고, 양변을 변변 곱하면

$a_2\times a_3\times a_4\times\cdots\times a_{n+1}=\frac{1}{3}\times\frac{2}{4}\times\frac{3}{5}\times\cdots\times\frac{n}{n+2}\times a_1\times a_2\times\cdots\times a_n$ 이므로,

$a_{n+1}=\frac{1}{3}\times\frac{2}{4}\times\frac{3}{5}\times\cdots\times\frac{n}{n+2}\times a_1=\frac{1\times2\times3\times\cdots\times n}{3\times4\times5\times\cdots\times(n+2)}\times a_1$이다.

따라서, 수열 $\{a_n\}$의 일반항은 $a_n=\frac{1}{n(n+1)}$이다.[41]

41) 양변에 $(n+1)(n+2)$를 곱해서 푸는 방법도 있다.

| 수학적 귀납법을 이용하여 구하는 점화식

수학적 귀납법 단원에서 연습했던 것처럼, 대입해서 일반항을 추론 후 수학적 귀납법으로 최종 증명하는 방법도 유력한 증명 방법이다.

예제 3 ★★☆☆☆ 연습문제

$a_1 = 1$, $a_{n+1} + a_n = (-1)^n$ 을 만족시킬 때, 수열 $\{a_n\}$의 일반항을 구하시오.

연습지

해설 3

$a_2 + a_1 = -1, a_2 = -2$

$a_3 + a_2 = 1, a_3 = 3$

$a_4 + a_3 = -1, a_4 = -4$에서, $a_n = n \times (-1)^{n+1}$로 유추할 수 있다.

이를 수학적 귀납법으로 증명해 보도록 하자.

i) $a_1 = (-1)^2 \times 1 = 1$이므로, $n = 1$일 때 준식이 잘 성립한다.

ii) $n = m$일 때 $a_m = m \times (-1)^{m+1}$이라 가정하자.

$a_{m+1} + a_m = (-1)^m$에 $a_m = m \times (-1)^{m+1}$을 대입하면

$$a_{m+1} = (-1)^m - (-1)^{m+1}m$$
$$= (-1)^{m+2} + (-1)^{m+2}m$$
$$= (-1)^{m+2}(m+1)$$

이므로 $n = m+1$일 때도 준식이 잘 성립한다.

따라서, 수학적 귀납법에 의해 모든 자연수 n에 대하여 준식이 항상 성립한다.

| $a_{n+1} = pa_n + q$ (단, $p \neq 0, 1$이고 $q \neq 0$)꼴 점화식

양변에 적당한 조작을 통해 $a_{n+1} - \alpha = p(a_n - \alpha)$꼴로 정리하자. (단 $q = \alpha - p\alpha$, $\alpha = \frac{q}{1-p}$)

$a_n - \alpha = b_n$ 으로 치환하면 $b_{n+1} = p \times b_n$, 즉 등비수열의 점화식이 나온다.

따라서 $b_n = p^{n-1} \times b_1$ 이므로 $a_n = b_n + \alpha = p^{n-1} \times (a_1 - \alpha) + \alpha$ 임을 알 수 있다.

비록 교육과정에서 빠진 내용이지만, 교과외 지식이 아닌 단순 식 조작만으로 교육과정 (등비수열 b_n 일반항 구하기)까지 갈 수 있기 때문에, 수리논술을 위해 구경해서 나쁠 게 없다고 판단하여 수록한다.

예제 4 ★★☆☆☆ 연습문제

$a_1 = 8$, $a_{n+1} = 3a_n - 4$ 을 만족시킬 때, 수열 $\{a_n\}$의 일반항을 구하시오.

연습지

해설 4

$a_{n+1} = 3a_n - 4 = 3(a_n - 2) + 2$를 정리하면 $a_{n+1} - 2 = 3(a_n - 2)$이다.

$b_n = a_n - 2$로 두면 $b_{n+1} = 3b_n$이므로 수열 $\{b_n\}$은 첫번째 항이 $8 - 2 = 6$이고 공비가 3인 등비수열이다.

따라서 $b_n = 6 \times 3^{n-1}$이고 $a_n = 6 \times 3^{n-1} + 2 = 2 \times 3^n + 2$이다.

2. 점화식으로 표현된 수열 - 논술 전용 버전

| 배각공식과 관련된 점화식

수리논술에만 나오는 유형이다. 점화식에서 a_n의 일반항 모양을 유추하는데 그 모양이 삼각함수의 배각공식과 관련 있는 경우가 있다. 다음 예제를 보자.

예제 5 ★★★★☆ 2018 한양대 변형

$a_1 = 0$, $a_{n+1} = \sqrt{\dfrac{1+a_n}{2}}$ $(n = 1, 2, 3, \cdots)$일 때, a_n을 구하여라.

연습지

해설 5

점화식에 $n = 1,\ 2,\ 3,\ \cdots$을 대입해보면 $a_1 = 0 = \cos\dfrac{\pi}{2}$, $a_2 = \sqrt{\dfrac{1+0}{2}} = \dfrac{\sqrt{2}}{2} = \cos\dfrac{\pi}{4}$,

$a_3 = \sqrt{\dfrac{1+\dfrac{\sqrt{2}}{2}}{2}} = \sqrt{\dfrac{2+\sqrt{2}}{4}} = \cos\dfrac{\pi}{8}$에서 $a_n = \cos\dfrac{\pi}{2^n}$로 추측할 수 있다.

이를 수학적 귀납법으로 증명하자.

$i)$ $n = 1$일 때, $a_1 = \cos\dfrac{\pi}{2} = 0$이므로, $n = 1$일 때 준식이 성립한다.

$ii)$ $n = m$일 때 준 식이 성립한다고 가정하자.

$$a_{m+1} = \sqrt{\frac{1+a_m}{2}} = \sqrt{\frac{1+\cos\frac{\pi}{2^m}}{2}}$$

$$= \sqrt{\frac{1+\cos\left(2\times\frac{\pi}{2^{m+1}}\right)}{2}}$$

$$= \sqrt{\frac{1+\cos^2\frac{\pi}{2^{m+1}} - \sin^2\frac{\pi}{2^{m+1}}}{2}} \quad (\cos 2x = \cos^2 x - \sin^2 x \text{ 활용})$$

$= \cos\dfrac{\pi}{2^{m+1}}$ 이므로, $n = m+1$일 때도 준식이 성립한다.

따라서 수학적 귀납법에 의하여 모든 자연수 n에 대하여 $a_n = \cos\dfrac{\pi}{2^n}$이 성립한다.

〈예제 5〉의 점화식 $a_{n+1}=\sqrt{\frac{1+a_n}{2}}$ 을 코사인 반각 공식인 $\cos\frac{x}{2}=\sqrt{\frac{1+\cos x}{2}}$ 와 비교해보자.

$a_{n+1}=\cos\frac{x}{2}$, $a_n=\cos x$에 대응 해본다면 n이 1 커지면 $\cos$ 안의 식이 $\frac{1}{2}$배가 된다는 것을 발견할 수 있다.

아! 공비가 0.5인 등비수열과의 관련성이 있겠구나! $x=\frac{\theta}{2^n}$ 꼴 이겠네!

라는 식으로도 접근할 수 있다.[42] 해설지에서는 대입을 통해 일반항을 유추했지만, 이 문제를 경험한 우리 독자들은 앞으로 위와 같이 접근할 수 있도록 하자.

| ??? : 쌤, 제가 혼자 생각 해내기엔 너무 어려운데 이거 못하면 수리논술 못 붙어요??

전혀 그렇지 않으니, 걱정하지 말 것.

〈예제 5〉는 힌트 없이 출제했지만, 실전 논제에서는 앞 소문제나 제시문을 통해 저 Idea를 떠올릴 hint를 제공하거나, 아래에서 볼 〈예제 6〉처럼 유추할 필요 없이 수학적 귀납법 증명 과정에 배각공식이 쓰이는 경우가 대부분이니까 걱정하지 말 것.

| ??? : 그럼 왜 미리 공부 해두는 거에요?

출제됐을 때 이를 공부하지 않은 학생들과의 초격차를 벌리기 위해 미리 경험 해두는 것이다.
수능 국어에서 공부했던 문학작품이 나오면, 문제가 달라도 심적 안정이 되는 것과 비슷한 맥락.

예제 6 ★★☆☆☆ 2018 이화여대

첫째항이 1인 수열 $\{a_n\}$이 모든 자연수 n에 대하여

$$a_{n+1}=\left(\cos\frac{\pi}{2^{n+1}}\right)a_n$$

일 때, $a_n=\dfrac{1}{2^{n-1}\sin\frac{\pi}{2^n}}$ 임을 보이고 $\lim_{n\to\infty}a_n$의 값을 구하여라.

연습지

42) 수능 100점도 따로 공부하지 않으면 절대 알 수 없는 수리논술용 아이디어이므로 어려운게 맞다.

해설 6

$a_n = \dfrac{1}{2^{n-1}\sin\dfrac{\pi}{2^n}}$ 임을 수학적 귀납법으로 보이자.

(i) $n=1$일 때 $a_1 = \dfrac{1}{\sin\dfrac{\pi}{2}} = 1$이므로, $n=1$일 때 준식이 잘 성립한다.

(ii) $n=m$일 때 $a_m = \dfrac{1}{2^{m-1}\sin\dfrac{\pi}{2^m}}$ 라 가정하면,

$$a_{m+1} = \left(\cos\frac{\pi}{2^{m+1}}\right)\frac{1}{2^{m-1}\times\sin\dfrac{\pi}{2^m}} = \frac{\cos\dfrac{\pi}{2^{m+1}}}{2^{m-1}\times 2\sin\dfrac{\pi}{2^{m+1}}\cos\dfrac{\pi}{2^{m+1}}} = \frac{1}{2^m\times\sin\dfrac{\pi}{2^{m+1}}}$$

이므로, $n=m+1$일 때에도 주어진 식이 잘 성립한다.

따라서 수학적 귀납법에 의하여 모든 자연수 n에 대하여 준식이 항상 성립한다.

이제 $\lim_{n\to\infty} a_n = \lim_{n\to\infty}\dfrac{1}{2^{n-1}\sin\dfrac{\pi}{2^n}}$ 을 구하자.

$\lim_{n\to\infty}\dfrac{1}{2^{n-1}\sin\dfrac{\pi}{2^n}}$ 에서 $\dfrac{1}{2^n} = t$로 치환하면, $\lim_{n\to\infty}\dfrac{1}{2^{n-1}\sin\dfrac{\pi}{2^n}} = \lim_{t\to 0+}\dfrac{2t}{\sin\pi t}$ 이고,

$\lim_{t\to 0+}\dfrac{\sin t}{t} = 1$이므로 $\lim_{t\to 0+}\dfrac{2t}{\sin\pi t} = \dfrac{2}{\pi}$ 이다.

Show and Prove

4-2

Chapter 4. 수열

수열의 최대최소 판별법

1. 미분을 활용한 수열의 최대최소 판별

수열은 '자연수 집합을 정의역으로 하고 실수 집합을 공역으로 하는 함수'다.
함수에서 최대최소 판별은 일반적으로 미분을 활용하기 때문에, 수열의 최대최소 역시 미분을 활용하는 방법이 일감으로 떠오르는게 당연하지만, 이따금 한계에 부딪치기도 한다.

예를 들어 수열 $a_n = n^4 - 3n^3 + 9$의 최솟값을 찾는 문제가 있다고 하자.

$f(x) = x^4 - 3x^3 + 9$을 미분하면 $4x^3 - 9x^2 = 0$, $x = \frac{9}{4}$에서 유일한 극소이므로 최소!! 라고 하고 싶은데, 수열에서의 n은 자연수라는 점이 문제가 된다. 수열의 정의역 때문에 $a_{\frac{9}{4}}$ or a_0가 최솟값이라고 주장할 수 없기 때문이다.

물론 해결법은 있다. $x = \frac{9}{4}$ 주변의 자연수 $x = 2,\ 3$에서의 수열값을 계산한 후 제일 작은 것을 정답으로 채택하면 된다.

위 문제에선 극소가 $x = \frac{9}{4}$에서만 극소이기 때문에 a_2, a_3만 비교하면 되지만, 극소가 여럿 존재하는 문제라면 조사해야하는 자연수의 개수가 2배씩 증가하고, 이것이 미분으로 수열의 최대최소를 찾는 풀이의 최대 약점이다.

| 흔히 저지르는 오개념에 대하여

이번 Part에서 생길 수 있는 오개념에 대해 알아보자.
어떤 수열 $a_n = f(n)$의 최솟값을 묻는 문제이고, 함수 $y = f(x)$의 그래프는 다음과 같다고 하자.

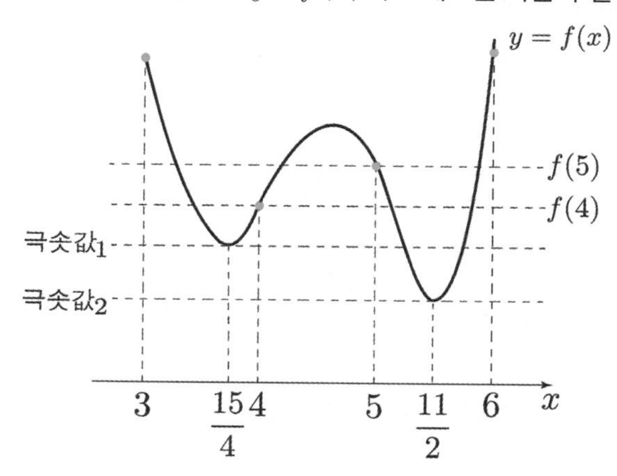

극솟값이 두 개가 있고 극소가 되는 x가 $\frac{15}{4}$, $\frac{11}{2}$로 자연수가 아니므로 두 수의 주변에 있는 자연수인 3과 4, 그리고 5와 6에 대한 a_n 값을 조사해줘야 수열의 최솟값을 구할 수 있는데,[43] 이 4개 값의 비교가 귀찮은 어떤 학생이 다음과 같은 질문을 한다.

Q. a_n의 최솟값을 찾는 문제니까, 다 조사할 필요 없이 극솟값 중 제일 작은 극솟값을 갖는 수 주변의 자연수만 조사해도 충분하지 않을까요??

---

43) 이번엔 $2 \times 2 = 4$개의 수열값을 비교해야되므로, 이 문제 역시 미분풀이의 단점이 부각된다.

A. 그러면 안된다. 그 논리에 의하면 a_5, a_6 중에 최솟값이 있어야 할 것 같지만 그래프에서 볼 수 있듯이 a_4가 제일 작은 값이다.

즉, 아무리 잔꾀를 굴려봐도 결국 최종적으로 수열값을 조사해야하는 n의 개수는 2X극소점개수.
으로 고정이고, 이게 미분풀이의 단점 (=다수의 연산 동반)이다.

2 부등식을 활용한 최대최소 판별

이러한 미분 풀이를 대체[44]하는 풀이는 일명 '전국 1등은 전교 1등 중에 있다.' 풀이이다. (???)

수열의 최댓값을 찾는 문제가 있을 때, a_n이 최대가 되는 n은 두 부등식 $a_{n-1} \leq a_n$과 $a_{n+1} \leq a_n$을 우선 만족시켜야 한다.
주변에 있는 a_{n-1}, a_{n+1} 보다 작으면서 어떻게 전체 1등 값이 될 수 있겠는가??
즉, 저 두 부등식을 풀어 n을 얻어내는 것은 전교 1등들을 우선적으로 고르는 작업에 해당한다.

이렇게 얻어낸 n을 a_n에 대입한 후 그 중 제일 큰 값을 찾으면, 그게 a_n의 최댓값이 된다.
전교 1등들 중 전국 1등을 찾는 과정인 것이다.

반대로 a_n이 최소가 되는 n은 두 부등식 $a_{n-1} \geq a_n$과 $a_{n+1} \geq a_n$을 우선 만족시켜야 한다.
이전 그래프의 예로 본다면 이 부등식의 해는 $n=4$로 유일함을 알 수 있다.[45]

단순히 생각하면 해야 할 연산이 미분 방식보다 4배나 줄어든 것이다![46]

물론 저 부등식을 만족시키는 n 역시 여러 개가 있을 수 있지만, 미분 풀이 때보다 그 개수가 덜 나온다는 것이 Fact!

따라서 미분풀이와 대체풀이 모두 숙지해두도록 하자.

44) 수열의 일반항이 미분 불가능한 식이 나올 때도 있다. 미분불능이 아니고 그냥 미분하기가 까다로운 식. 본 교재 뒤에서 곧 구경 예정.
45) 대체풀이는 그래프 전부를 보는 것이 아닌 수열값이 찍힌 점 (색점) 들만 비교하면 된다.
46) 정답이 특정되는 방법 vs 4개 값 비교해야 하는 미분 방법

예제 7

★★☆☆☆ 2021 한양대

자연수 n에 대하여 한 변의 길이가 $n^2-12n+37$인 정사각형의 넓이를 a_n, 한 변의 길이가 $2n+1$인 정사각형의 넓이를 b_n이라고 하자. $\frac{a_n}{b_n}$이 최소가 되는 n을 구하고, 이 때 $\frac{a_n}{b_n}$의 값을 구하시오.

연습지

해설 7.1

미분풀이

$\frac{a_n}{b_n} = \frac{(n^2-12n+37)^2}{(2n+1)^2} = \left(\frac{n^2-12n+37}{2n+1}\right)^2$ 이므로 $\frac{a_n}{b_n}$ 이 최소가 되려면 $\frac{n^2-12n+37}{2n+1}$ 이 최소가 되어야 한다.

$f(x) = \frac{x^2-12x+37}{2x+1}$ 라 하면

도함수는 $f'(x) = \frac{(2x-12)(2x+1)-(x^2-12x+37)\times 2}{(2x+1)^2} = \frac{2(x^2+x-43)}{(2x+1)^2}$ 이다.

$x^2+x-43=0$ 의 $x>0$ 에서의 근을 구하면 $x = \frac{-1+\sqrt{173}}{2}$ 이다. $0 < x < \frac{-1+\sqrt{173}}{2}$ 일 때

$f'(x) < 0$ 이고 $x > \frac{-1+\sqrt{173}}{2}$ 일 때 $f'(x) > 0$ 이므로 $x = \frac{-1+\sqrt{173}}{2}$ 에서 $f(x)$ 가

최소가 되는 것을 알 수 있다.

한편 $13 < \sqrt{173} < 14$ 를 이용하면 $6 < \frac{-1+\sqrt{173}}{2} < \frac{13}{2} < 7$ 임을 알 수 있다.

따라서 $n=6$ 또는 $n=7$ 인 경우 $\frac{a_n}{b_n}$ 가 최소가 된다. $\frac{a_6}{b_6} = \frac{1}{13^2} < \frac{4}{15^2} = \frac{a_7}{b_7}$ 이므로 $n=6$ 일 때

최솟값 $\frac{a_6}{b_6} = \frac{1}{13^2}$ 을 갖는다.

해설 7.2

대체풀이

$c_n = \frac{n^2-12n+37}{2n+1}$ 로 두자. c_n이 최솟값이 되기 위해서는 먼저 부등식 $c_{n-1} \geq c_n$을 만족시켜야 한다.

$c_{n-1} = \frac{n^2-14n+50}{2n-1}$ 이므로, 부등식 $\frac{n^2-14n+50}{2n-1} \geq \frac{n^2-12n+37}{2n+1}$ 을 풀면,

$(n^2-14n+50)(2n+1) \geq (n^2-12n+37)(2n-1)$에서,

$2n^3-27n^2+86n+50 \geq 2n^3-25n^2+86n-37$이고, 이를 정리하면 $2n^2 \leq 87$이므로,

이 부등식을 만족시키는 자연수 n은 $1 \leq n \leq 6$ 이다.

한편, 부등식 $c_{n-1} \geq c_n$에 n에 $n+1$을 대입한 뒤에 부등호 방향을 바꾸면 부등식 $c_n \leq c_{n+1}$을 푸는 것과 같다.[47)]

따라서 $c_n \leq c_{n+1}$을 풀면 $2(n+1)^2 \geq 87$이고, 이 부등식을 만족시키는 자연수 n은 $n \geq 6$이다.

따라서, 두 부등식을 동시에 만족시키는 자연수 n은 6 뿐이므로 c_n이 최소가 되는 n의 후보 역시 6 뿐이다.

따라서 $n=6$일 때 최소이다.

(만약 두 부등식을 동시에 만족시키는 n이 여러 개가 있다면, 미분풀이 때처럼 대입해서 확인해줘야 한다.)

47) 제출답안으로는 부족한 표현이다. 여러분의 학습의 윤활을 돕는 Comment 정도로 생각할 것.

Show
and
Prove

4-3

Chapter 4. 수열

텔레스코핑

| 텔레스코핑 연습하기

$\displaystyle\sum_{k=1}^{n}\frac{1}{k(k+2)}$와 같은 시그마를 계산해보면

$$\sum_{k=1}^{n}\frac{1}{k(k+2)}=\frac{1}{2}\sum_{k=1}^{n}\left(\frac{1}{k}-\frac{1}{k+2}\right)=\left(\frac{1}{1}-\frac{1}{3}\right)+\left(\frac{1}{2}-\frac{1}{4}\right)+\cdots+\left(\frac{1}{n}-\frac{1}{n+2}\right)$$
$$=\frac{1}{2}\left(\frac{1}{1}+\frac{1}{2}-\frac{1}{n+1}-\frac{1}{n+2}\right)$$

이다. 즉, 시그마 내부 식을 a_k-a_{k+1} 혹은 a_k-a_{k+2} (위의 예시에선 $a_k=\dfrac{1}{k}$) 형태로 만들어서 상쇄되는 꼴을 만드는 것이 핵심이며, 이러한 기술을 텔레스코핑이라 한다.

예제 8 ★★☆☆☆ 연습문제

다음 식을 각각 간단히 정리하시오.

(1) $\displaystyle\sum_{k=1}^{n}\frac{1}{\sqrt{k+1}+\sqrt{k}}$

(2) $\displaystyle\sum_{k=1}^{n}\frac{1}{k(k+1)(k+2)}$

(3) $\displaystyle\sum_{k=1}^{n}\frac{1}{(k+1)\sqrt{k}+k\sqrt{k+1}}$

(4) $\displaystyle\sum_{k=1}^{n}\frac{1}{(k+1)(k-1)!}$

(5) $\displaystyle\sum_{k=1}^{n}(k\times k!)$

(6) $\displaystyle\sum_{k=1}^{n}(k^2+1)k!$

(7) $\displaystyle\sum_{k=1}^{n}(k^2+k+1)k!$

연습지

해설 8

(1) $$\sum_{k=1}^{n}\frac{1}{\sqrt{k+1}+\sqrt{k}}=\sum_{k=1}^{n}\frac{\sqrt{k+1}-\sqrt{k}}{1}$$
$$=(\sqrt{2}-1+\sqrt{3}-\sqrt{2}+\cdots+\sqrt{n+1}-\sqrt{n})=\sqrt{n+1}-1$$

(2) $$\sum_{k=1}^{n}\frac{1}{k(k+1)(k+2)}=\frac{1}{2}\sum_{k=1}^{n}\left\{\frac{1}{k(k+1)}-\frac{1}{(k+1)(k+2)}\right\}$$
$$=\frac{1}{2}\left\{\left(\frac{1}{2}-\frac{1}{2\times 3}\right)+\left(\frac{1}{2\times 3}-\frac{1}{3\times 4}\right)\cdots+\left(\frac{1}{n(n+1)}-\frac{1}{(n+1)(n+2)}\right)\right\}$$
$$=\frac{1}{2}\left\{\frac{1}{2}-\frac{1}{(n+1)(n+2)}\right\}$$

(3) $$\sum_{k=1}^{n}\frac{1}{(k+1)\sqrt{k}+k\sqrt{k+1}}=\sum_{k=1}^{n}\left\{\frac{1}{\sqrt{k(k+1)}}\left(\frac{1}{\sqrt{k}+\sqrt{k+1}}\right)\right\}$$
$$=\sum_{k=1}^{n}\left(\frac{1}{\sqrt{k}}-\frac{1}{\sqrt{k+1}}\right)=1-\frac{1}{\sqrt{n+1}}$$

(4) $$\sum_{k=1}^{n}\frac{1}{(k+1)(k-1)!}=\sum_{k=1}^{n}\frac{k}{(k+1)!}$$
$$=\sum_{k=1}^{n}\frac{k+1-1}{(k+1)!}$$
$$=\sum_{k=1}^{n}\left(\frac{1}{k!}-\frac{1}{(k+1)!}\right)=1-\frac{1}{(n+1)!}$$

(5) $$\sum_{k=1}^{n}k\times k!=\sum_{k=1}^{n}(k+1-1)k!=\sum_{k=1}^{n}\{(k+1)!-k!\}=(n+1)!-1!$$

(6) $$\sum_{k=1}^{n}(k^2+1)k!=\sum_{k=1}^{n}\{k(k+1)-(k-1)\}k!$$
$$=\sum_{k=1}^{n}\{k(k+1)!-(k-1)k!\}=n(n+1)!$$

(7) $$\sum_{k=1}^{n}(k^2+k+1)k!=\sum_{k=1}^{n}\{(k+1)^2-k\}k!$$
$$=\sum_{k=1}^{n}\{(k+1)\times(k+1)!-k\times k!\}=(n+1)(n+1)!-1$$

| 자연수 거듭제곱의 합

$\sum_{k=1}^{n} k^2$은 다음과 같이 구할 수 있다.

항등식 $(k+1)^3 - k^3 = 3k^2 + 3k + 1$에 $k = 1, 2, 3, \cdots, n$을 차례대로 대입하면 다음과 같다.

$k=1$일 때, $2^3 - 1^3 = 3 \times 1^2 + 3 \times 1 + 1$
$k=2$일 때, $3^3 - 2^3 = 3 \times 2^2 + 3 \times 2 + 1$
$\cdots$
$k=n$일 때, $(n+1)^3 - n^3 = 3 \times n^2 + 3 \times n + 1$

이 n개의 등식을 변변 더하면

$(n+1)^3 - 1 = 3\sum_{k=1}^{n} k^2 + 3 \times \frac{n(n+1)}{2} + n$ 이고, 정리하면

$$\sum_{k=1}^{n} k^2 = \frac{n(n+1)(2n+1)}{6}$$

유사하게, $\sum_{k=1}^{n} k^3$은 다음과 같이 구할 수 있다.

항등식 $(k+1)^4 - k^4 = 4k^3 + 6k^2 + 4k + 1$에 $k = 1, 2, 3, \cdots, n$을 차례대로 대입하면 다음과 같다.

$k=1$일 때, $2^4 - 1^4 = 4 \times 1^3 + 6 \times 1^2 + 4 \times 1 + 1$
$k=2$일 때, $3^4 - 2^4 = 4 \times 2^3 + 6 \times 2^2 + 4 \times 2 + 1$
$\cdots$
$k=n$일 때, $(n+1)^4 - n^4 = 4 \times n^3 + 6 \times n^2 + 4 \times n + 1$

이 n개의 등식을 변변 더하면

$(n+1)^4 - 1 = 4\sum_{k=1}^{n} k^3 + 6 \times \frac{n(n+1)(2n+1)}{6} + 4 \times \frac{n(n+1)}{2} + n$이고, 정리하면

$$\sum_{k=1}^{n} k^3 = \left\{\frac{n(n+1)}{2}\right\}^2$$

TIP

이런 시그마의 결과를 외우는 것만 공부하면 안된다.
'이 결과가 나올 수 있었던 Idea' 였던 고난도 시그마를 정리하는 테크닉인 텔레스코핑을 터득하는 것이 찐 공부다.

예제 9 ★★☆☆☆ 연습문제

앞서 배운 아이디어를 이용하여, $\sum_{k=1}^{n} k^4$ 를 n에 대한 다항식으로 표현하시오.

(단, $(k+1)^5 = k^5 + 5k^4 + 10k^3 + 10k^2 + 5k + 1$ 이다.)

연습지

해설 9

위의 아이디어와 유사하게, 항등식 $(k+1)^5 - k^5 = 5k^4 + 10k^3 + 10k^2 + 5k + 1$을 잡고 여기에 $k = 1, 2, 3, \cdots, n$을 차례대로 대입하면 다음과 같다.

$k=1$일 때, $2^5 - 1^5 = 5 \times 1^4 + 10 \times 1^3 + 10 \times 1^2 + 5 \times 1 + 1$

$k=2$일 때, $3^5 - 2^5 = 5 \times 2^4 + 10 \times 2^3 + 10 \times 2^2 + 5 \times 2 + 1$

$\cdots$

$k=n$일 때, $(n+1)^5 - n^5 = 5 \times n^4 + 10 \times n^3 + 10 \times n^2 + 5 \times n + 1$

이 n개의 등식을 변변 더하면,

$(n+1)^5 - 1 = \sum_{k=1}^{n} 5k^4 + \sum_{k=1}^{n} 10k^3 + \sum_{k=1}^{n} 10k^2 + \sum_{k=1}^{n} 5k + \sum_{k=1}^{n} 1$에서,

$n^5 + 5n^4 + 10n^3 + 10n^2 + 5n = 5 \times \sum_{k=1}^{n} k^4 + 10 \times \left\{ \frac{n(n+1)}{2} \right\}^2 + \frac{10n(n+1)(2n+1)}{6} + \frac{5n(n+1)}{2} + n$

이므로, 이를 정리하면 $\sum_{k=1}^{n} k^4 = \frac{n(n+1)(2n+1)(3n^2+3n-1)}{30}$을 얻는다.

4-4

Chapter 4. 수열

실전 논제 풀어보기

- 해설집에 있는 논제에 대한 해설 중 어려운 부분의 이해를 도와주는 영상을 QR코드를 통해 볼 수 있습니다.
  완벽한 해설 강의가 아니기 때문에, 시청 전에 해설을 먼저 읽어본 후 QR코드의 강의를 활용하기 바랍니다.

- 답안지 Box의 점선 줄은 다음과 같이 활용하세요.
  ⓐ 답안 첫 두 줄을 점선 줄 위에서부터 시작해서, 아래 답안들도 줄이 삐뚤어지지 않도록 맞춰 써보세요.
  읽기 편한 글씨체와 줄 맞춰 쓰기는 채점관에게 좋은 인상의 답안이 되기 위한 기본기입니다 :)
  ⓑ 줄 맞춰 쓸 연습이 필요 없다면, 이 문제에 쓰이는 필수 Idea를 필기하는 용도로 활용하세요.

논제 11

★★☆☆☆ 2022 광운대

[1] 다음 식의 값을 구하시오.

$$\frac{4}{1+2^2+2^4}+\frac{6}{1+3^2+3^4}+\frac{8}{1+4^2+4^4}+\cdots+\frac{20}{1+10^2+10^4}$$

[2] 다음과 같이 귀납적으로 정의된 수열 $\{a_n\}$을 생각하자.

$$a_1=2,\ a_{n+1}=a_n+(n^2+2n+2)\times(n+1)! \quad (n=1,\ 2,\ 3,\ \cdots)$$

모든 자연수 n에서 $a_n=(an^2+bn)\times n!$이 성립하는 두 실수 $a=a_1$, $b=b_1$의 순서쌍 $(a_1,\ b_1)$을 적당한 n을 대입하여 구하여라.
또 이 결과를 이용하여 모든 자연수 n에서 $a_n=(a_1n^2+b_1n)\times n!$ 임을 수학적 귀납법으로 증명하여라.

연습지

답안지

논제 12 ★★★☆☆ 2018 한양대

[1] 아래 그림을 이용하여 $0 \le t \le \dfrac{\pi}{4}$ 일 때, $\cos t = f(\cos 2t)$를 만족하는 함수 $y=f(x)$, $0 \le x \le 1$를 구하시오. (단, 그림에서 $\overline{\mathrm{AD}} = \overline{\mathrm{BD}}$이다.)

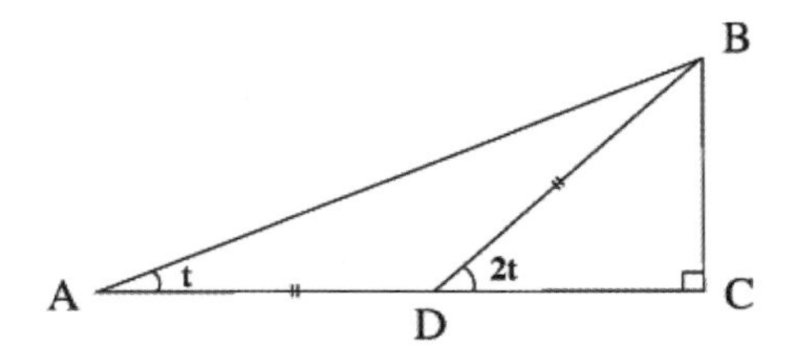

[2] 위 문제에서 구한 함수 $y=f(x)$를 이용해서, 아래와 같이 주어진 수열 $\{a_n\}$의 수렴, 발산 여부를 판정하시오. 발산하면 그 이유를 설명하고 수렴하면 극한값 $\lim\limits_{n \to \infty} a_n$을 구하시오.

$$a_1 = \sqrt{2},\ a_2 = \sqrt{2+\sqrt{2}},\ a_3 = \sqrt{2+\sqrt{2+\sqrt{2}}},\ a_4 = \sqrt{2+\sqrt{2+\sqrt{2+\sqrt{2}}}},\ \cdots\cdots$$

연습지

답안지

논제 13 ★★★☆☆ 2022 건국대

제시문 일부

(나) n 이 자연수일 때, 다음 식이 성립한다.

$$(a+b)^n = {}_nC_0a^n + {}_nC_1a^{n-1}b^1 + {}_nC_2a^{n-2}b^2 + \cdots + {}_nC_ka^{n-k}b^k + \cdots + {}_nC_nb^n$$

(라) $(5+2x)^{60}$ 을 전개했을 때 x^k 의 계수를 a_k 라 하자. 즉,

$$(5+2x)^{60} = a_0 + a_1x + a_2x^2 + \cdots + a_kx^k + \cdots + a_{60}x^{60}$$

제시문 (라)에서 계수 a_k $(0 \leq k \leq 60)$ 중 가장 큰 것을 a_p, 두 번째로 큰 것을 a_q 라 하자.
제시문 (나)를 이용하여 p 와 q 를 구하고 풀이 과정을 쓰시오.

연습지

답안지

Show
and
Prove

기대T 수리논술 수업 상세안내

수업명	수업 상세 안내 (지난 수업 영상수강 가능)
정규반 프리시즌 (2월)	- 수리논술만의 특징인 '답안작성 능력'과 '증명 능력'을 향상 시키는 수업 - 수험생은 물론 강사도 가질 수 있는 '증명 오개념'을 타파시키는 수학 전공자의 수업
정규반 시즌1 (3월)	- 수능/내신 공부와 다른 수리논술 공부의 결 & 방향성을 잡아주는 수업 - 삼각함수 & 수열의 콜라보 등 논술형 발전성을 체감해볼 수 있는 실전 내용 수업
정규반 시즌2 (4~5월)	- 수리논술에서 50% 이상의 비중을 차지하는 수리논술용 미적분을 집중 해석하는 수업 - 수리논술에도 존재하는 행동 영역을 통해 고난도 문제의 체감 난이도를 낮춰주는 수업 - 대학의 모범답안을 보고도 '이런 아이디어를 내가 어떻게 생각해내지?'라는 생각이 드는 학생들도 납득 가능하고 감탄할 만한 문제접근법을 제시해주는 수업
정규반 시즌3 (6~7월)	- 상위권 대학의 합격 당락을 가르는 고난도 주제들을 총정리하는 수업 - 아래 학교의 수리논술 합격을 바라는 학생들이라면 강추 (메디컬, 고려, 연세, 한양, 서강, 서울시립, 경희, 이화, 숙명, 세종, 서울과기대, 인하)
선택과목 특강 (선택확통 / 선택기하)	- 수능/내신의 빈출 Point와의 괴리감이 제일 큰 두 과목인 확통/기하의 내용을 철저히 수리논술 빈출 Point에 맞게 피팅하여 다루는 Compact 강의 (영상 수강 전용 강의) - 확통/기하 각각 2~3강씩으로 구성된 실전+심화 수업 (교과서 개념 선제 학습 필요) - 상위권 학교 지원자들은 꼭 알아야 하는 필수내용 / 6월 또는 7월 내로 완강 추천
Semi Final (8월)	- 본인에게 유리한 출제 스타일인 학교를 탐색하여 원서지원부터 이기고 들어갈 수 있도록 태어난 새로운 수업 (모든 대학을 출제유형별로 A그룹~D그룹으로 분류 후 분석) - 최신기출 (작년 기출+올해 모의) 중 주요 문항 선별 통해 주요대학 최근 출제 경향 파악
고난도 문제풀이반 For 메디컬/고/연/서성한시	- 2월~8월 사이 배운 모든 수리논술 실전 개념들을 고난도 문제에 적용 해보는 수업 - 전형적인 고난도 문제부터 출제될 시 경쟁자와 차별될 수 있는 창의적 신유형 문제까지 다양하게 만나볼 수 있는 수업
학교별 Final (수능전 / 수능후)	- 학교별 고유 출제 스타일에 맞는 문제들만 정조준하여 분석하는 Final 수업 - 빈출 주제 특강 + 예상 문제 모의고사 응시 후 해설 & 첨삭 - 고승률 문제접근 Tip을 파악하기 쉽도록 기출 선별 자료집 제공 (학교별 상이)
첨삭	수업 형태 (현장 강의 수강, 온라인 수강) 상관없이 모든 학생들에게 첨삭이 제공됩니다. 1차 서면 첨삭 후 학생이 첨삭 내용을 제대로 이해했는지 확인하기 위해, 답안을 재작성하여 2차 대면 첨삭영상을 추가로 제공받을 수 있습니다. 이를 통해 학생은 6~10번 이내에 합격급으로 논리적인 답안을 쓸 수 있게 되며, 이후에는 문제풀이 Idea 흡수에 매진하면 됩니다.

정규반 안내사항 (아래 QR코드 참고)

대학별 Final 안내사항 (아래 QR코드 참고)

도형

Show and Prove

5-1 Chapter 5. 도형

중학 도형 성질 총정리

1. 중점연결정리와 확장

| 중점연결정리

삼각형 ABC의 두 변 AB, AC의 두 중점 M, N에 대하여 두 선분 MN, BC는 평행하며 $\overline{MN}=\frac{1}{2}\overline{BC}$ 이다.

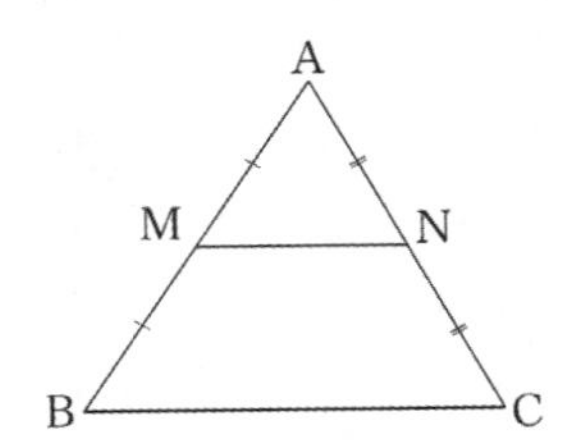

증명

두 삼각형 AMN, ABC는 각 A를 공유하며 $\overline{AM}:\overline{AB}=\overline{AN}:\overline{AC}=1:2$를 만족시키므로 SAS 닮음이다. 따라서 $\angle AMN=\angle ABC$, $\angle ANM=\angle ACB$이므로 각각 동위각의 성질에 의해 두 선분 MN, BC가 평행함을 알 수 있다.
또한 닮음비는 $1:2$이므로 $\overline{MN}=\frac{1}{2}\overline{BC}$임을 알 수 있다.

| 확장 ①

삼각형 ABC의 두 변 AB, AC를 $p:q$로 내분하는 M, N에 대하여 두 선분 MN, BC는 평행하며 $\overline{MN}=\frac{p}{p+q}\overline{BC}$ 이다.
(증명은 중점연결정리랑 같은 방법으로 닮음을 통해 증명하면 된다.)

| 확장 ②

오른쪽 그림과 같이 평행한 세 직선 AA', BB', CC'에 대하여
$\overline{AB}:\overline{BC}=\overline{A'B'}:\overline{B'C'}$ 이다.

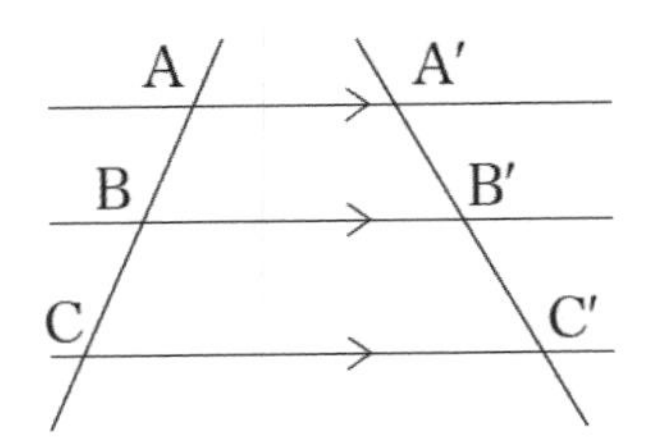

증명

보조선 AC'을 그은 후 두 삼각형 ACC', $AA'C'$ 에서
중점연결정리 증명 과정에서와 같이 닮음을 써주면
$\overline{AB}:\overline{BC}=(\overline{AQ}:\overline{QC'})=\overline{A'B'}:\overline{B'C'}$
임을 알 수 있다.

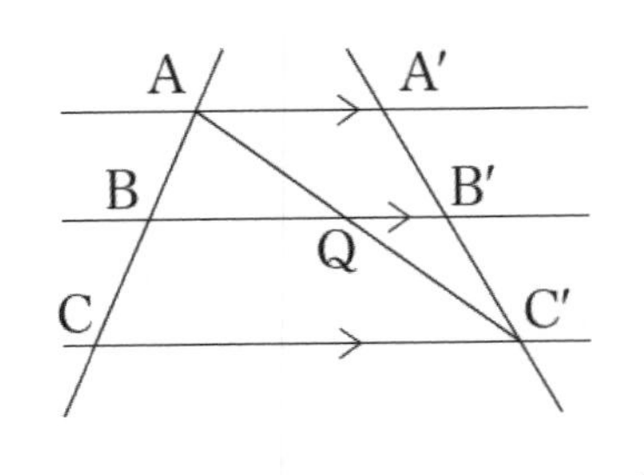

예제 1

★☆☆☆☆ 연습문제

사각형 ABCD의 네 변의 중점을 각각 P, Q, R, S라 할 때, 사각형 P, Q, R, S가 평행사변형임을 보이시오.

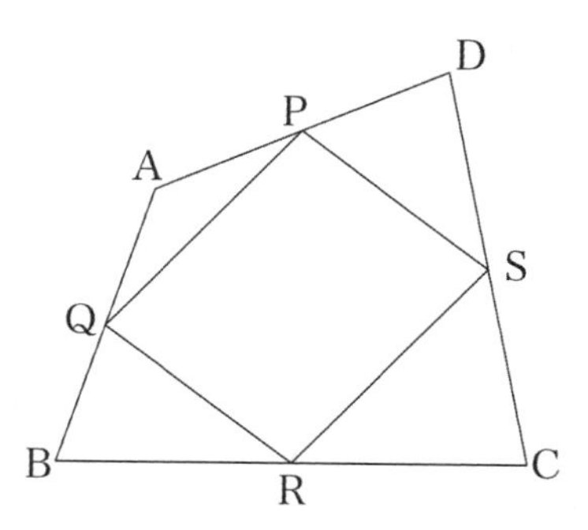

연습지

해설 1

보조선 AC를 긋자.

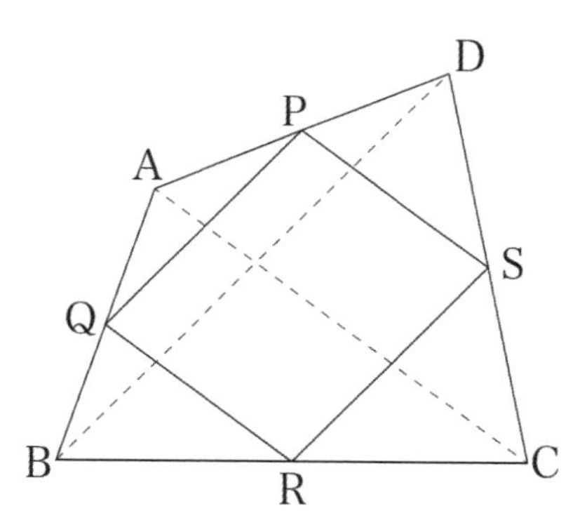

삼각형 ABC에서 중점연결정리에 의하여 선분 QR는 AC에 평행하며 길이는 $\frac{1}{2}$배이다. 또한 삼각형 ACD에서 중점연결정리에 의하여 선분 PS는 AC에 평행하며 길이는 $\frac{1}{2}$배이다.

따라서 두 선분 QR, PS는 평행하며 길이가 같고, 자연스럽게 두 선분 PQ, RS의 길이가 같고 서로 평행함을 알 수 있다. (이 부분은 보조선 BD를 그어서 위와 같은 과정처럼 확인해봐도 좋다.)

이는 사각형 PQRS가 평행사변형임을 의미하므로 증명 끝.

+ 여기서 더 나아가서,

두 점 P, Q가 두 선분 AD, AB를 $m : n$으로 내분하는 점이고 두 점 S, R이 두 선분 CD, CB를 $m : n$으로 내분하는 점일 때도 마찬가지로 사각형 PQRS가 평행사변형임을 증명할 수 있어야 한다.

예제 2 ★★★☆☆ 연습문제

[1] 길이가 각각 a, b인 두 대각선이 이루는 예각이 θ인 사각형 ABCD의 넓이를 구하시오.

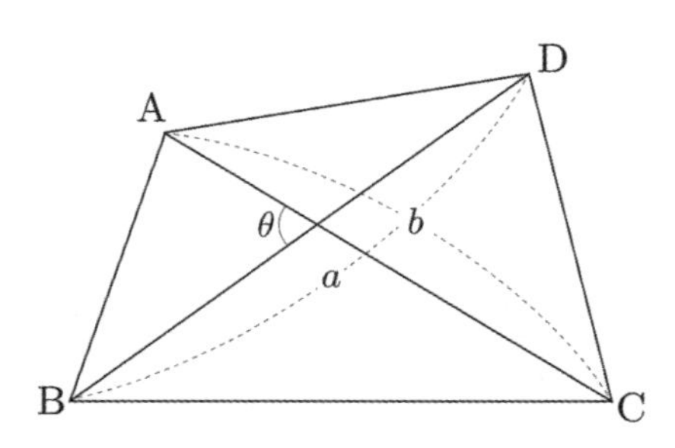

[2] 넓이가 4인 삼각형 ABC의 세 중선 ①, ②, ③을 기울이지 않고 그대로 이어붙이면 오른쪽 삼각형이 만들어진다. 이 새로운 삼각형의 넓이 S를 구하시오.

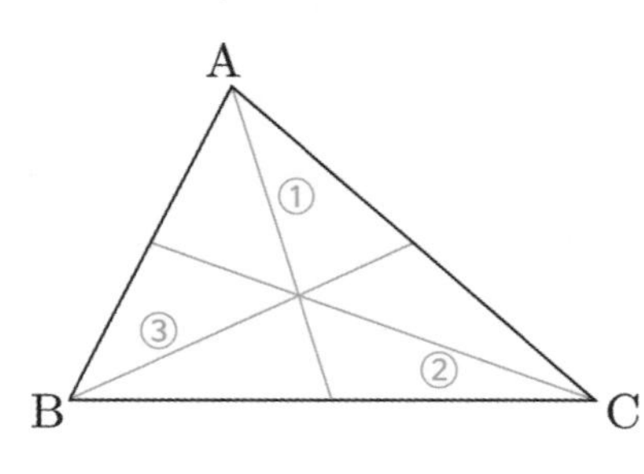

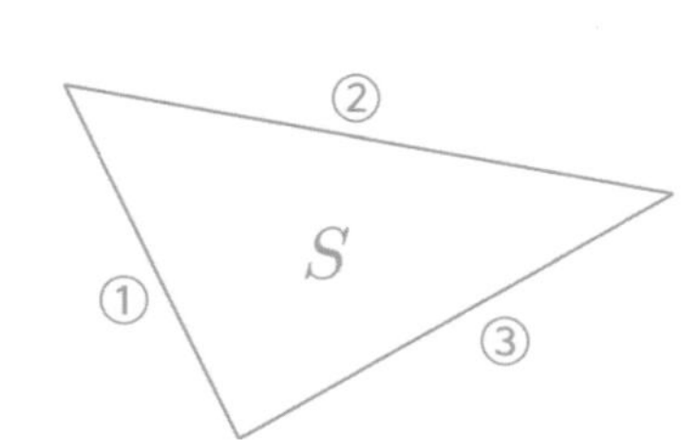

연습지

해설 2

[1]

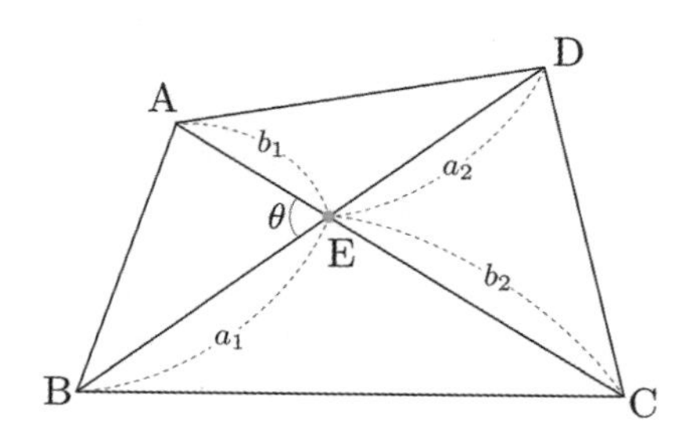

사각형의 넓이를 S라 하면

$$S = \triangle\mathrm{ABE} + \triangle\mathrm{BCE} + \triangle\mathrm{CDE} + \triangle\mathrm{DAE}$$
$$= \frac{1}{2}(a_1b_1 + a_2b_2)\sin\theta + \frac{1}{2}(a_1b_2 + a_2b_1)\sin(\pi - \theta)$$
$$= \frac{1}{2}(a_1b_1 + a_1b_2 + a_2b_2 + a_2b_1)\sin\theta$$
$$= \frac{1}{2}(a_1 + a_2)(b_1 + b_2)\sin\theta = \frac{1}{2}ab\sin\theta$$ 이다.

[2]

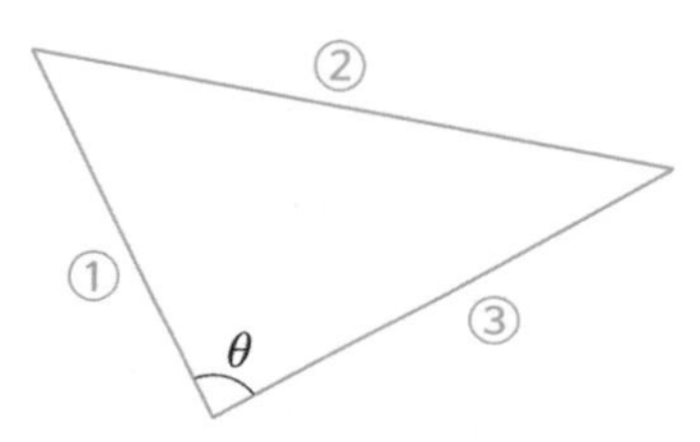

구하려는 값은 $S = \frac{1}{2} \times$ ① $\times$ ③ $\times \sin\theta$ 이다. … ⓐ

그림과 같이 삼각형 ABC의 두 변의 중점을 각각 $\mathrm{M_1}$, $\mathrm{M_2}$라 하면 사각형 $\mathrm{ABM_1M_2}$의 넓이는 중점연결정리에 의하여 $4 \times \frac{3}{4} = 3$이다. … ⓑ

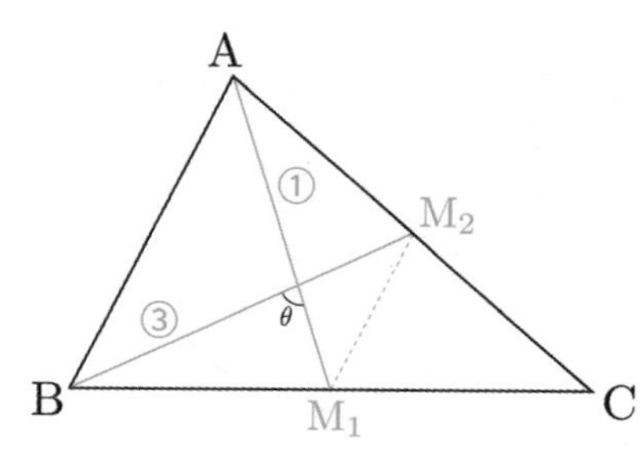

한편 사각형 $\mathrm{ABM_1M_2}$의 넓이는 **[1]**과 같이 $\frac{1}{2} \times$ ① $\times$ ③ $\times \sin\theta$ 로도 구할 수 있으므로 ⓐ, ⓑ 에 의하여 $S = 3$임을 알 수 있다.

2. 원과 직선 사이의 관계

원의 반지름의 길이를 r, 원의 중심 O로부터 직선까지의 거리를 d라 하자.
미리 종합하면, 원과 직선의 교점의 수는 $r > d$일 때 2개, $r = d$일 때 1개, $r < d$일 때 0개이다.

| $r < d$ 일 때, 자명하게도 원과 직선이 만나지 않으므로 교점도 0개다.

| $r > d$ 일 때,

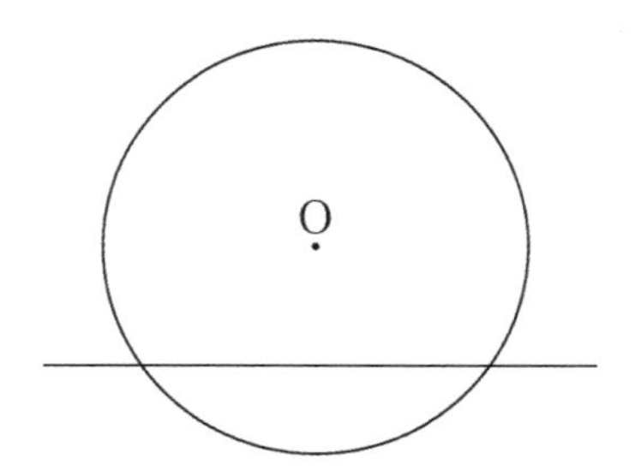

이 경우 교점이 2개가 생긴다.
두 교점을 A, B라 할 때, 반드시 해야할 두 표시는 길이 이등분 표시와 각도 이등분 표시다.

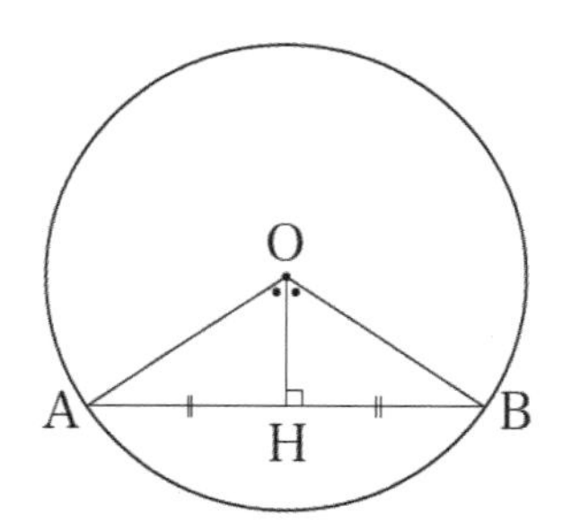

| $r = d$ 일 때,

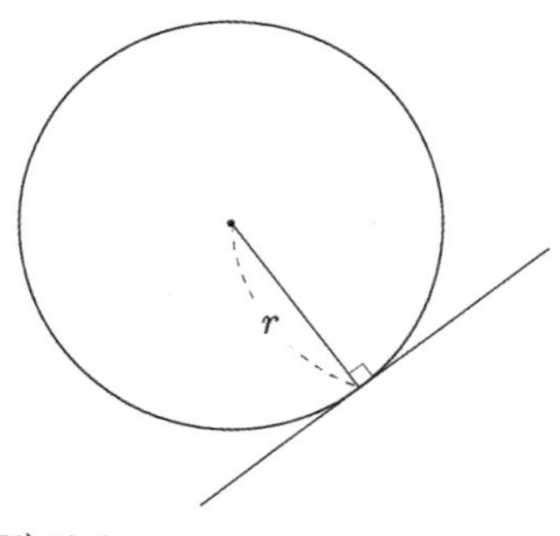

즉 교점이 1개인 상황(=원과 직선이 접하는 상황)이다.
이 경우 원에 직선이 접하는 경우엔 항상 원의 중심과 접점을 이은 후 수직표시를 해주자. 이 두 점 사이의 거리는 원의 반지름의 길이와 같다. 이 두 개가 문제풀이의 핵심이 된다.

주의) 두 원에 동시에 접하는 직선은 2개가 아니라 4개다.

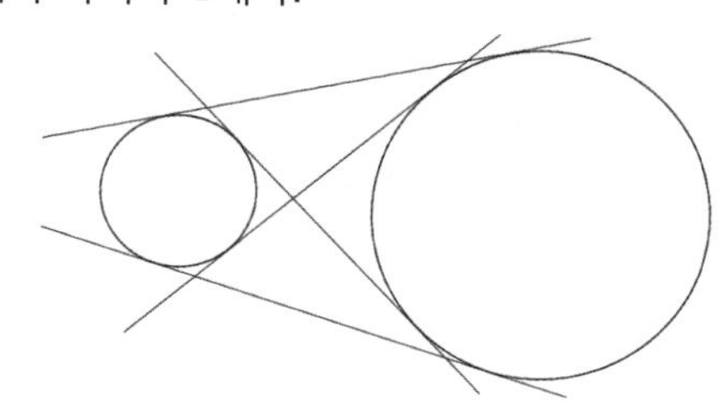

'공통내접선'(X자로 보이는 접선) 에 해당하는 두 접선을 떠올리지 못하는 경우가 빈번하므로 주의할 것!

| 두 원에 동시에 접하는 직선

두 원에 동시에 접하는 직선은 공통외접선과 공통내접선으로 나뉜다.
접선을 기준으로 평면은 두 영역으로 나뉘는데, 두 원이 같은 영역에 있으면 외접선, 두 원이 다른 영역에 있으면 내접선이라고 한다는 것 정도만 알고 있으면 된다.

우선 앞서 원과 직선이 접해있다면 수직 표시와 반지름 길이 표시 두 가지를 무조건 해주자고 했었다. 이건 기본이고, 보통은 두 접점 사이의 거리를 구해야 하는 문제로 많이 나오기 때문에 $\overline{\mathrm{AA'}}$ (편의상 l이라 하자) 와 반지름들 r, r', 그리고 두 원의 중심 사이의 거리 d를 어떻게 융화시키는지 상황에 따라 알아보자.

| 공통외접선

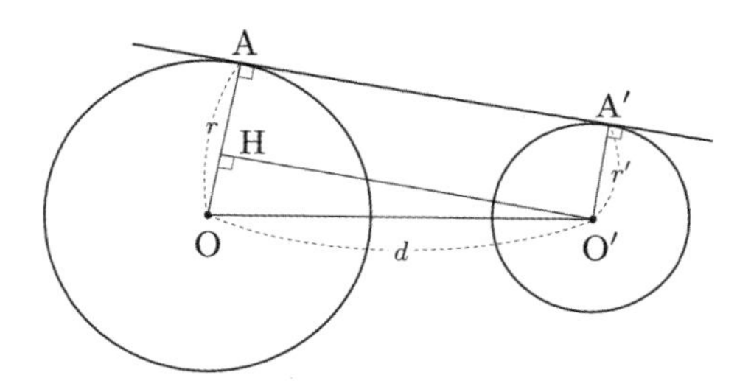

위와 같이 직각삼각형 $\mathrm{OO'H}$를 만들면 피타고라스의 정리에 의하여 $d^2=(r-r')^2+l^2$이다.

| 공통내접선

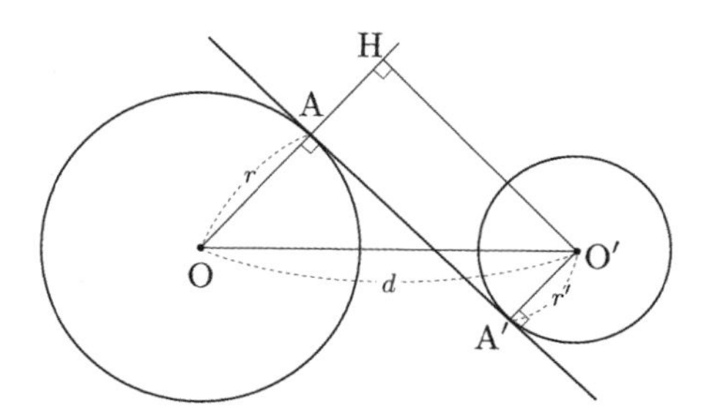

위와 같이 직각삼각형 $\mathrm{OO'H}$를 만들면 피타고라스의 정리에 의하여 $d^2=(r+r')^2+l^2$이다.
즉, 두 상황의 결과 식이 다르게 생겼으므로 공통외접선인지 공통내접선인지 판단하는 게 상당히 중요하다는 것을 알 수 있다.

예제 3 ★★☆☆☆ 연습문제

중심이 각각 O_1, O_2이고 반지름의 길이가 r_1, r_2인 두 원 C_1, C_2이 점 T에서 접한다. 두 원 C_1, C_2에 각각 점 T_1, T_2에서 동시에 접하는 직선과 점 T에서 두 원에 동시에 접하는 직선 사이의 교점을 Q라 할 때, $\overline{QT}=\sqrt{r_1 r_2}$임을 보이시오.

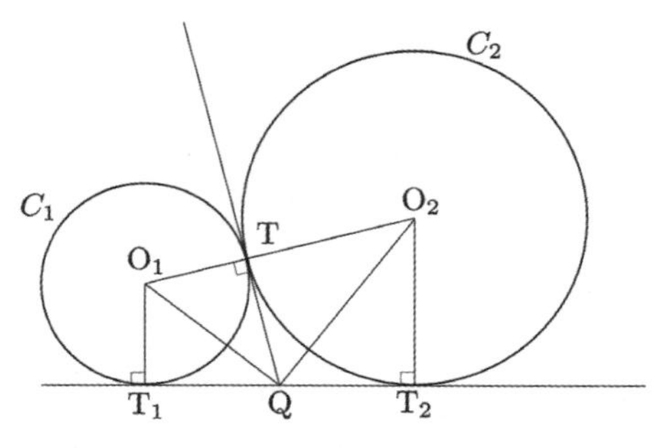

연습지

해설 3

앞서 배운 성질을 떠올리면 (원 밖의 한 점에서 원에 그은 접선의 성질)

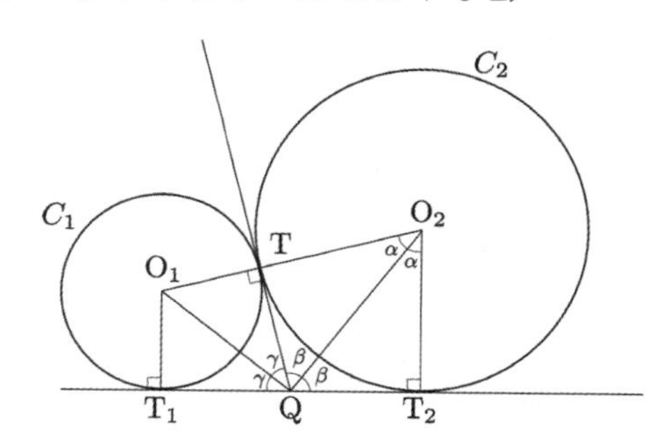

$\angle TQO_1 = \angle T_1QO_1 = \gamma$, $\angle O_2QT = \angle O_2QT_2 = \beta$, $\angle QO_2T = \angle QO_2T_2 = \alpha$임을 알 수 있다.
한편, $\angle O_1TQ = 90°$ 이고 $2\beta + 2\gamma = 180°$ $\alpha + \beta = 90°$ 이므로, 삼각형 O_1QO_2만 따로 떼어 살펴보면 다음과 같이 각도를 표현할 수 있다.

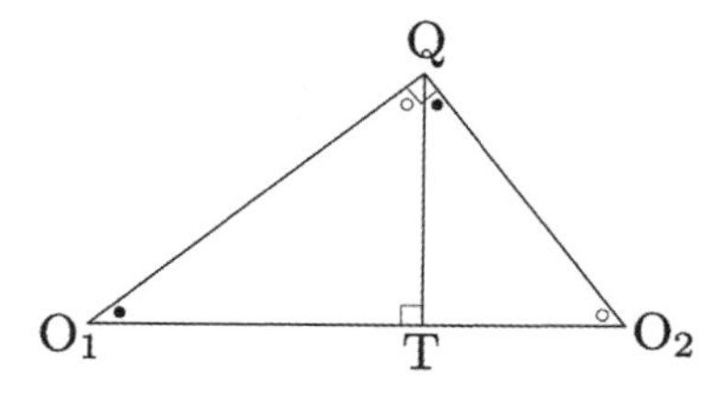

삼각형의 닮음에 의해, $\overline{O_1T} \times \overline{O_2T} = \overline{QT}^2$임을 알 수 있다. 그런데 $\overline{O_1T} = r_1$, $\overline{O_2T} = r_2$이므로
$\overline{QT} = \sqrt{r_1r_2}$ 이다.

spoiler

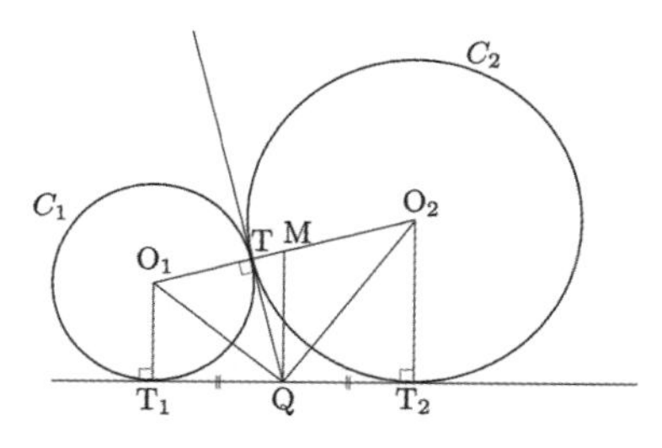

원 밖의 한 점에서 원에 그은 접선의 성질에 의해 $\overline{T_1Q} = \overline{TQ} = \overline{QT_2}$ 이므로, 점 Q는 선분 T_1T_2의 중점이다.
따라서 직선 T_1T_2에 수직이면서 점 Q를 지나는 직선이 직선 O_1O_2와 만나는 점을 M이라 할 때,
$\overline{MQ} = \frac{r_1 + r_2}{2}$ 이다. 한편, 삼각형 MTQ는 직각삼각형이므로 $\overline{MQ} > \overline{QT}$ 이고, 곧 $\frac{r_1 + r_2}{2} > \sqrt{r_1r_2}$ 이다.

이것은 유명한 산술기하평균 부등식인데, 이를 기하로도 증명할 수 있었다.
참고로 모든 부등식들은 등호조건이 중요하기 때문에 잘 알아줄 것.
이 경우 등호조건은 $\overline{MQ} = \overline{QT}$, 즉 점 M=점 T 인 상황이고, 그러기 위해선 두 원 C_1, C_2의 반지름의 길이가 같을 때 성립함을 그림으로부터 알 수 있다.

따라서 종합하면 양수 r_1, r_2에 대하여 $\frac{r_1 + r_2}{2} \geq \sqrt{r_1r_2}$ (단, 등호조건은 $r_1 = r_2$)를 알 수 있다.

예제 4 ★★☆☆☆ 빈출소재

두 선분 PA, PB가 이루는 예각이 2θ에 대하여 두 선분에 동시에 접하도록 원 C_1을 그리고, 두 선분과 원 C_n에 접하도록 원 C_{n+1}을 그린다. (단, n은 자연수이고 원 C_{n+1}은 원 C_n보다 작다.)

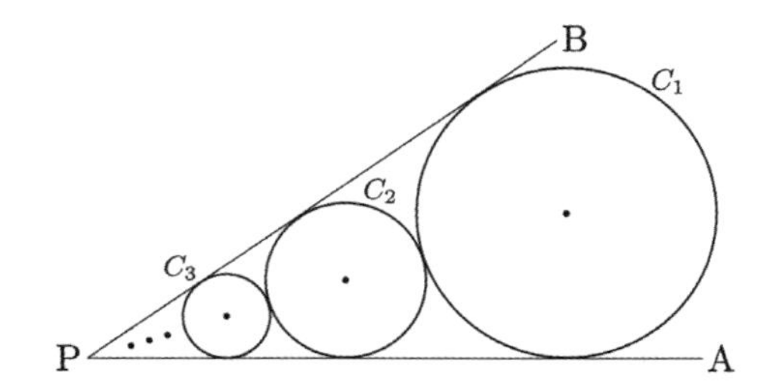

원 C_n의 반지름을 r_n이라 할 때, 수열 $\{r_n\}$이 등비수열임을 증명하여라.

연습지

해설 4

[1]

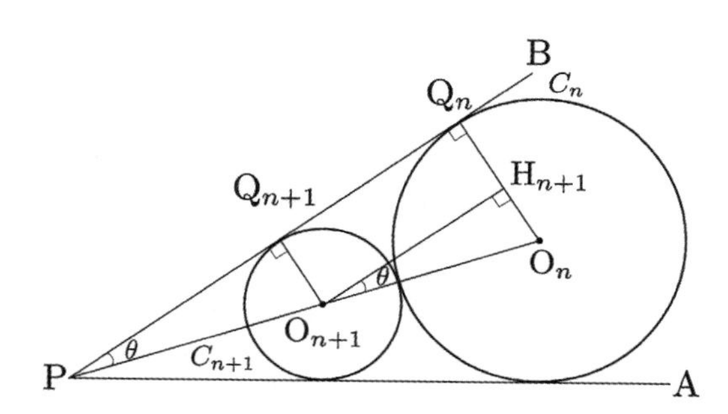

원 C_n과 C_{n+1}의 중심을 각각 $\mathrm{O_n}$과 $\mathrm{O_{n+1}}$라 하자. 점 $\mathrm{O_{n+1}}$에서 직선 PB에 내린 수선의 발을 $\mathrm{Q_{n+1}}$, 점 $\mathrm{O_n}$에서 직선 PA에 내린 수선의 발을 $\mathrm{Q_n}$이라 하자. 그리고, 점 $\mathrm{O_{n+1}}$에서 직선 $\mathrm{O_nQ_n}$에 내린 수선의 발을 $\mathrm{H_{n+1}}$이라 하면 $\overline{\mathrm{O_{n+1}O_n}} = \mathrm{r_n + r_{n+1}}$이고, $\overline{\mathrm{O_nH_{n+1}}} = \mathrm{r_n - r_{n+1}}$이다.

한편, $\angle \mathrm{H_{n+1}O_{n+1}O_n} = \theta$이므로, $\sin\theta = \dfrac{r_n - r_{n+1}}{r_n + r_{n+1}}$이다. 정리하면

$r_{n+1} = \dfrac{1-\sin\theta}{1+\sin\theta}r_n$이고, $r_{n+1} = cr_n$이다. ($\because$ θ가 결정 되어있는 상황이므로, $\dfrac{1-\sin\theta}{1+\sin\theta} = c$는 상수)

따라서 수열 $\{r_n\}$은 등비수열이다.

cf. 여기까진 수학1 내용으로 충분히 보일 수 있는 부분이고, 이러한 상황에서 n을 무한대로 보내면 미적분에서 배우는 등비급수 관련 문제를 출제할 수 있게 된다.

3. 원과 원 사이의 관계

서로 다른 두 원은 최대 2개의 점에서만 만날 수 있다. 그 중 특이한 상황은 두 원이 접하는 상황인데, 크게 두 가지 상황으로 나뉜다. 이것도 마찬가지로 두 원이 외접하는 경우만 생각하는 경우가 많으므로 주의하자. 두 원의 반지름을 각각 R, r $(R \geq r)$라 하고 두 점 사이의 거리를 d라 하자.

i) 내접할 때, $d = R - r$인 상황이다.

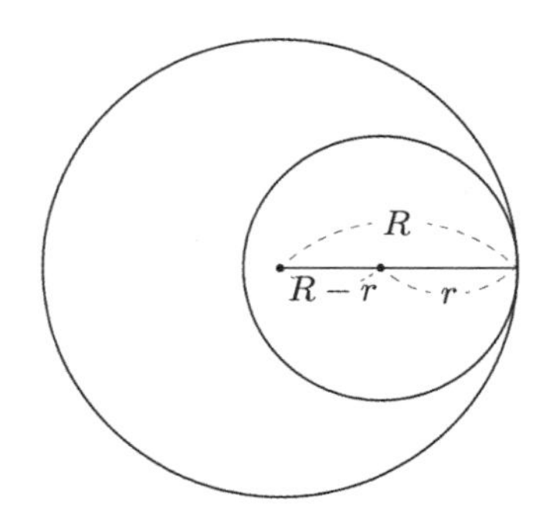

ii) 외접할 때, $d = R + r$인 상황이다.

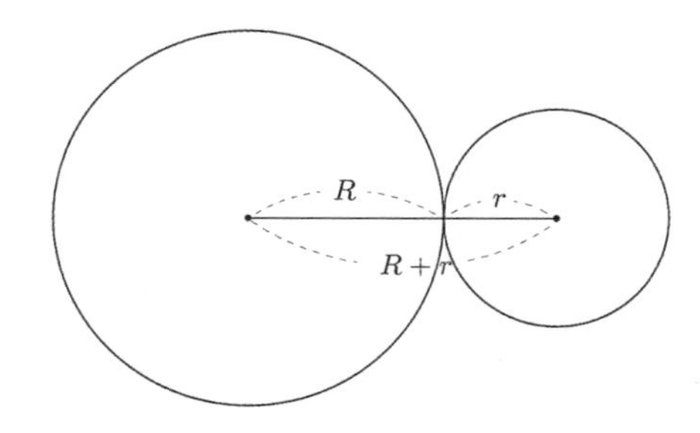

주의) 두 원의 중심 및 접점들(총 3개의 점)은 동시에 한 직선 위에 있다. 이를 간과하지 말 것.

4. 원주각과 중심각의 관계

| 호의 정의

중심이 O인 원 위의 두 점 A, B에 대하여 A부터 B까지의 원 둘레를 호라고 한다.
이 때 생기는 두 개의 둘레 중 짧은 것을 호라고 하는 것이 일반적인 정의[48]이다. 반대편 호를 얘기하고 싶을 땐 '긴 호'라고 따로 설명해준다.

| 원주각의 성질

긴 호 AB 위의 점 C와 호 AB에 대하여 $\angle \mathrm{ACB}$를 호 AB에 대한 원주각이라 한다.
(단, 점 C는 두 점 A, B와 다른 점이다.)

이때 원주각에 대한 성질들이 있다.

① 점 C의 위치와 상관없이 항상 $\angle \mathrm{ACB}$가 일정하다.

② 호 AB의 원주각은 호 AB의 중심각의 절반이다. 즉, $\angle \mathrm{ACB}=\frac{1}{2}\angle \mathrm{AOB}$ 이다.
이 때, 직선 AB가 지름일 때 중심각은 180° 이므로 원주각은 90° 이다.

①, ②를 한 그림에 표현하면 다음과 같다.

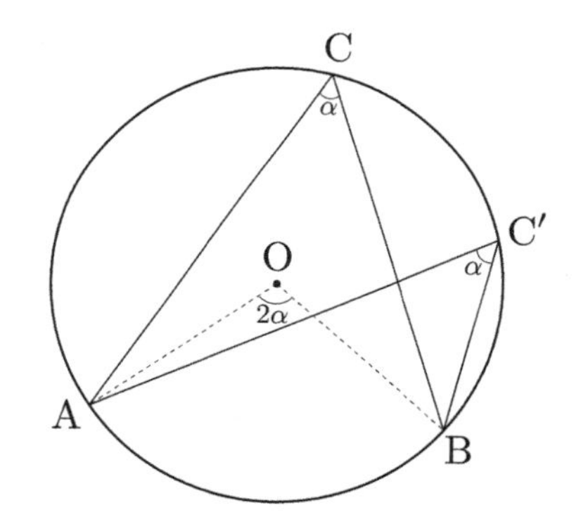

48) 수험생들의 혼동을 막기 위해서 굳이 '짧은 호', '긴 호'로 구별해주는 경우가 있긴 하다.

예제 5

★★★☆☆ 연습문제

$\overline{AB}=2$인 선분 AB를 지름으로 하는 원 C_1 위의 점 P에 대하여 점 X를 $\overline{PB}=\overline{PX}$가 되도록 잡는다.
점 P가 원 C_1 위를 움직일 때, 점 X가 그리는 자취의 길이를 구하시오.
(단, 점 P가 점 B일 때는 점 X는 점 B와 같고, 점 P가 점 A일 때는 선분 XA는 원과 점 A에서 접한다.)

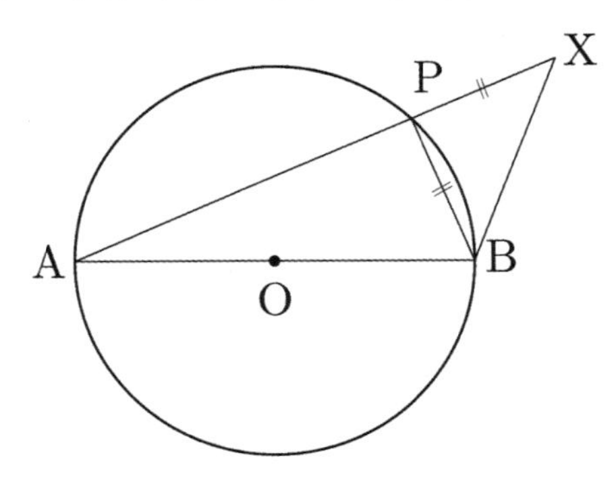

연습지

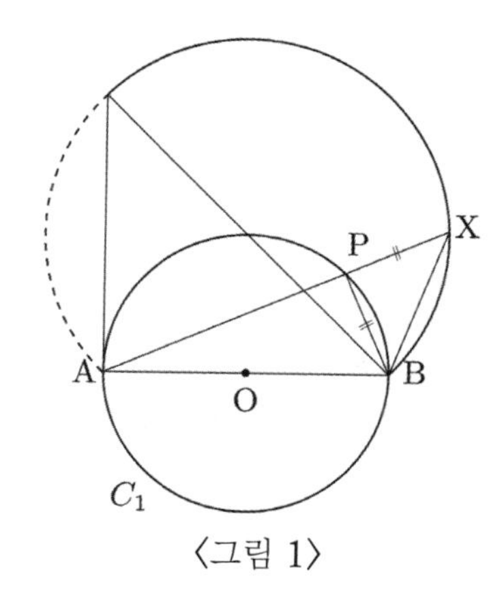

〈그림 1〉

일반성을 잃지 않고 점 P가 선분 AB보다 위쪽에 있다고 가정한 후 구한 자취의 길이의 2배를 해주면 정답이 된다.
(∵ 점 P가 아래쪽에 있을 때엔 선분 AB에 대한 대칭 상황이고, 두 상황이 중복되는 경우는 없으므로)
$\angle$APB는 원 C_1의 지름 AB에 대한 원주각이므로, $\angle \mathrm{APB} = 90^{\circ}$ 이다. 삼각형 XPB는 이등변삼각형이므로, $\angle$AXB 의 크기는 45° 로 일정하다.
원주각에 성질에 의해, 점 X는 점 A,B를 포함하는 어떤 원 위에 있으므로, 점 X가 그리는 자취는 원의 일부이다.

점 P가 점 A일 때는 선분 XA가 원 C_1과 점 A에서 접한다는 조건을 이용하면, 점 X가 그리는 자취는 〈그림 1〉과 같이 그려진다.

한편, 점 P에서 선분 AB에 내린 수선의 발이 점 O일 때의 점 P의 위치를 점 P′으로 정의하자.

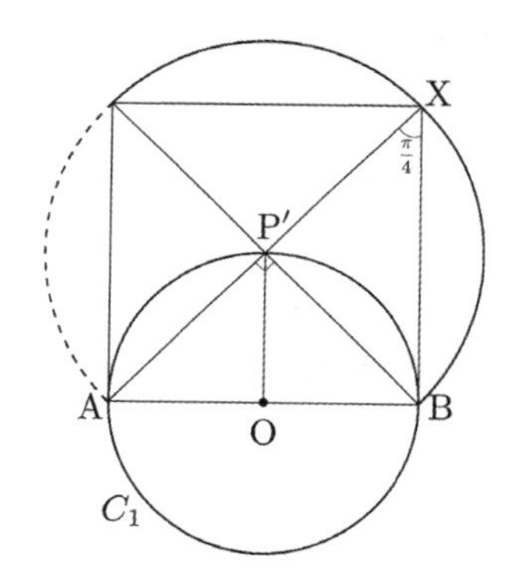

$\angle \mathrm{AP'B} = 90^{\circ}$ 이고, $\angle \mathrm{AXB} = 45^{\circ}$ 로 일정함을 보였으므로, $\frac{1}{2}\angle \mathrm{AP'B} = \angle \mathrm{AXB}$에서, 원주각의 성질에 의해 점 X가 그리는 원의 중심이 P′임을 알 수 있다.
따라서, 점 X가 그리는 자취는 중심이 P′이고, 반지름의 길이가 $\overline{\mathrm{P'B}}$인 반원이므로, 점 X가 그리는 자취의 길이는 $\sqrt{2}\pi$이다. 이것의 두 배를 한 $2\sqrt{2}\pi$가 최종정답.

5. 원에 내접하는 사각형 성질

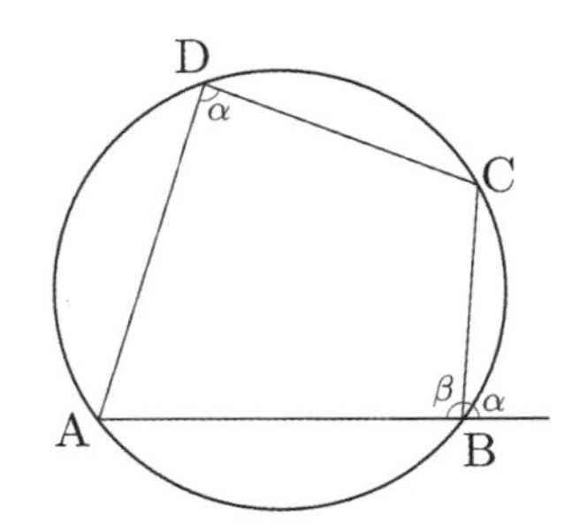

원에 내접하는 사각형은 마주보는 두 각의 합이 $180°$ 이다.

증명

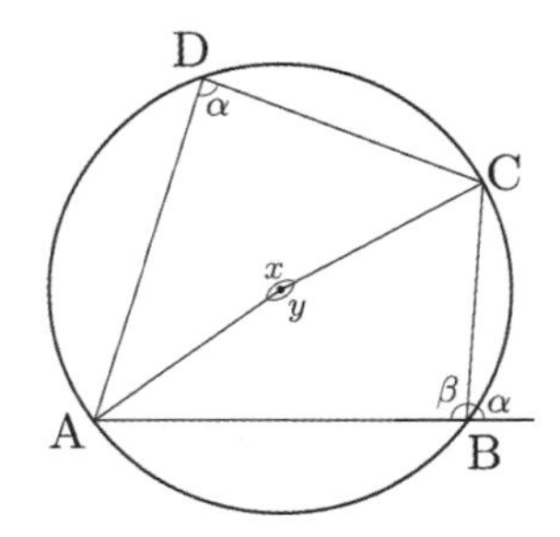

원주각의 성질에 의하여 오른쪽 그림에서 $y=2\alpha,\ x=2\beta$이다. $x+y=360°$ 이므로 $\alpha+\beta=180°$ 이다.

또한 이 두 각 $\alpha,\ \beta$ 사이의 관계를 '내대각'이라 하는데, 이에 대한 보조정리도 있다.

내대각 정리) $\angle\mathrm{B}$의 외각은 $\angle\mathrm{ADC}$와 같다. $(=\alpha)$

반대로, 바라보는 두 각의 합이 $180°$ 인 사각형의 네 꼭짓점은 한 원 위에 있다는 것도 쉽게 알 수 있다.[49)]

49) 일반적으로, 한 직선 위에 있지 않은 세 점을 지나는 원은 항상 만들 수 있지만 네 점을 지나는 원은 매우 특수한 상황이다. 그러기 위한 조건이 사각형의 바라보는 두각의 합이 $180°$ 여야 한다는 것이다.

6. 삼각형의 외접원과 이 원의 접선 사이의 각도관계

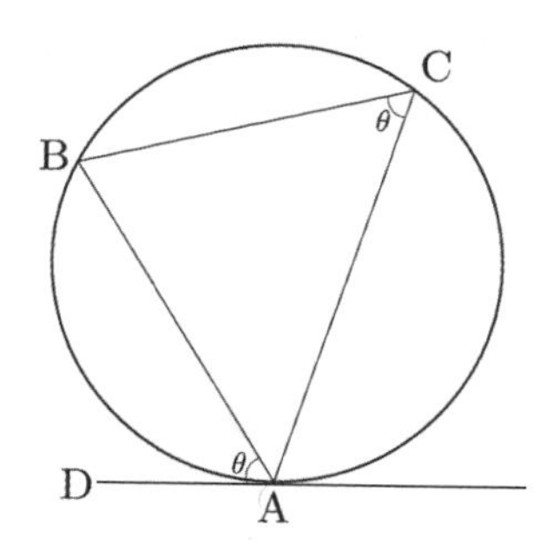

정리) 삼각형 ABC의 외접원과 점 A에서 접하는 직선 위의 점 D에 대하여 $\angle ACB = \angle BAD$ 이다.

증명

〈그림 1〉
원주각의 성질에 의해 점 C를 원 위에 있는 조건 하에 임의로 조정하여도 각도는 θ로 일정하다. 이 때, 점 C′을 선분 AC′이 원의 지름이 될 때 까지 움직여준다.
(즉, 선분 AC′이 접선과 수직이 될 때까지 움직여주는 것)

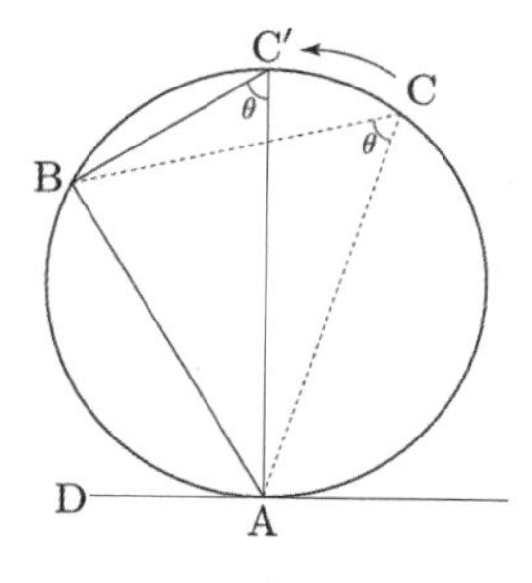

〈그림 1〉

〈그림 2〉
선분 AC′이 지름이 됐으므로, 지름에 대한 원주각으로 각 B가 직각이 됨을 알 수 있다.

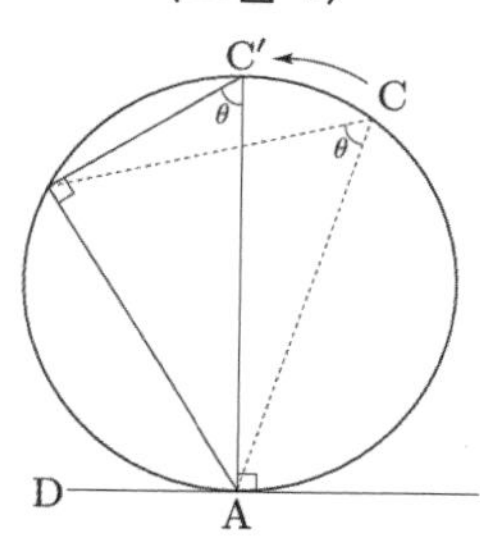

〈그림 2〉

〈그림 3〉
각 B가 직각이고, 직선 AD가 접선임을 이용하면 어렵지 않게 $\angle AC'B = \angle BAD = \theta$임을 알 수 있다.

따라서 위의 증명에 의하여 $\angle ACB = \angle BAD$.

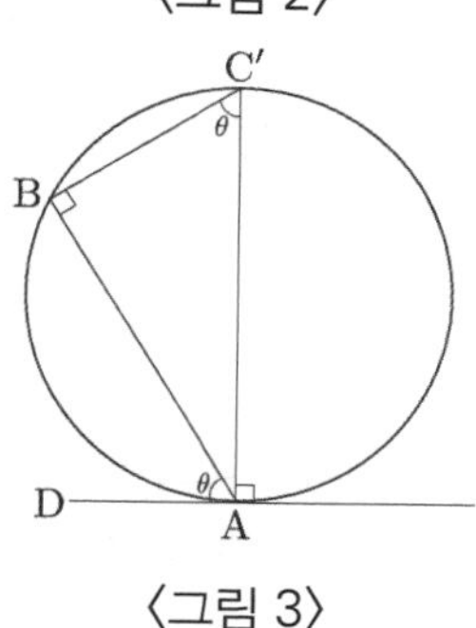

〈그림 3〉

7. 할선 정리

한 원 위에 있는 임의의 네 점 A, B, C, D에 대하여 두 직선 AD, BC가 만나는 점을 P라 하자.
이 때, 점 P의 위치와 관계없이 항상 등식

$$\overline{PA}\times\overline{PD}=\overline{PB}\times\overline{PC}$$

이 성립한다.

최근 수능에서의 도형문제에서도 주목받고 있는 정리이므로 반드시 잘 알아두도록 하자.

증명

원주각의 성질에 의하여 $\angle A=\angle C$이다. 또한 $\angle P$를 맞꼭지각으로 공유하고 있으므로 두 삼각형 PAB, PCD는 닮음이다.
따라서 닮음비 식에 의하여

$$\overline{PA}\times\overline{PD}=\overline{PB}\times\overline{PC}$$

임을 알 수 있다.

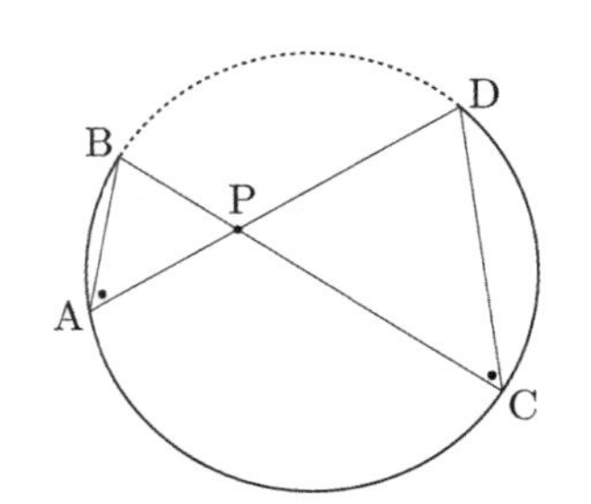

하지만 이는 완벽한 증명이 아니다. 다음 그림처럼 점 P가 원 외부에 있을 수 있기 때문이다.

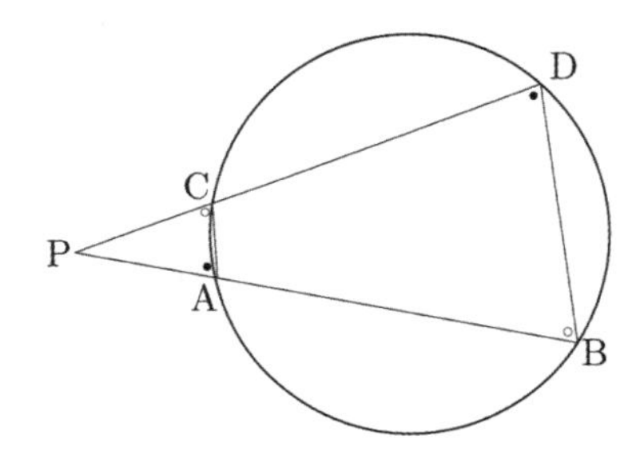

이런 도형에서는 할선 정리가 $\overline{PA}\times\overline{PB}=\overline{PC}\times\overline{PD}$로 쓰인다. (꼭짓점 순서가 바뀌어서 공식 바뀐 것 유의)

증명

내대각 정리에 의하여 오른쪽 그림과 같이 각도관계를 표현할 수 있다. 즉, 두 삼각형 PAC, PDB는 닮음이다.
따라서 닮음비 식에 의하여 $\overline{PA}\times\overline{PB}=\overline{PC}\times\overline{PD}$ 이다.

이 상황에서 두 점 C, D가 같은 점이 되도록 직선 PD를 움직여보자.
즉, 직선 PD가 원의 접선이 되도록 움직이는 것이다.
그렇게 되면 $\overline{PC}=\overline{PD}$가 돼서 할선정리가 $\overline{PA}\times\overline{PB}=(\overline{PC})^2$ 으로 변형된다.

예제 6

★★☆☆☆ 2023 6월 평가원

그림과 같이 $\overline{AB}=3$, $\overline{BC}=2$, $\overline{AC}>3$ 이고 $\cos(\angle BAC)=\frac{7}{8}$ 인 삼각형 ABC가 있다. 선분 AC의 중점을 M, 삼각형 ABC의 외접원이 직선 BM과 만나는 점 중 B가 아닌 점을 D라 할 때, 선분 MD의 길이는?

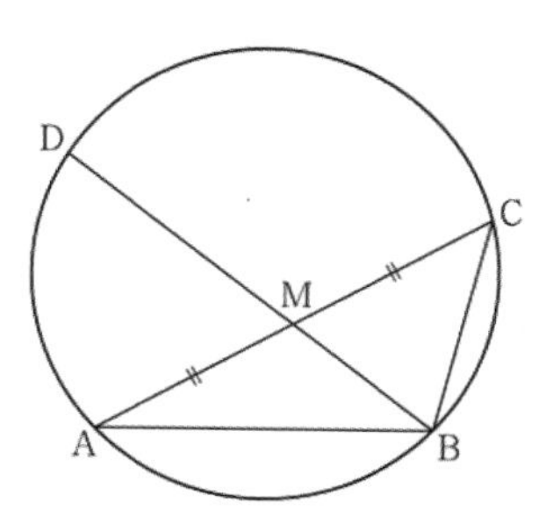

연습지

해설 6

$\angle BAC = \theta$, $\overline{AC} = a$라 하면 삼각형 ABC에서 코사인법칙에 의하여

$\overline{BC}^2 = \overline{AB}^2 + \overline{AC}^2 - 2 \times \overline{AB} \times \overline{AC} \times \cos\theta$

즉, $2^2 = 3^2 + a^2 - 2 \times 3 \times a \times \frac{7}{8}$, $a^2 - \frac{21}{4}a + 5 = 0$ 이므로 $a = 4$ ($\because a > 3$)

$\therefore \overline{AM} = \overline{CM} = \frac{a}{2} = 2$.

같은 방법으로 삼각형 ABM에서 코사인법칙에 의하여

$\overline{MB}^2 = \overline{AB}^2 + \overline{AM}^2 - 2 \times \overline{AB} \times \overline{AM} \times \cos\theta$

$= 3^2 + 2^2 - 2 \times 3 \times 2 \times \frac{7}{8} = \frac{5}{2}$ 이므로 $\overline{MB} = \sqrt{\frac{5}{2}} = \frac{\sqrt{10}}{2}$ 이다.

이 때 두 삼각형 ABM, DCM은 서로 닮은 도형이므로 (이 부분이 사실상 할선정리)

$\overline{MA} \times \overline{MC} = \overline{MB} \times \overline{MD}$ 에서 $2 \times 2 = \frac{\sqrt{10}}{2} \times \overline{MD}$ 이다. 따라서 $\overline{MD} = \frac{8}{\sqrt{10}} = \frac{4\sqrt{10}}{5}$ 이다.

한편, 할선 정리는 역도 성립한다. 즉,

점 P에서 만나는 두 직선 AB, CD에 대하여 $\overline{PA}\times\overline{PB}=\overline{PC}\times\overline{PD}$가 성립하면
네 점 A, B, C, D는 동시에 한 원 위에 있다.

도 참인 명제이다.

예제 7 ★★☆☆☆ 연습문제

두 점 E, F에서 만나는 두 원을 C_1, C_2라 하고 두 원 위에 있지 않고 직선 EF 위의 한 점 P를 지나는 두 직선을 각각 l_1, l_2라 하자. l_1과 C_1이 만나는 두 점을 A, B, l_2와 C_2가 만나는 두 점을 C, D라 할 때, 네 점 A, B, C, D을 지나는 원이 존재함을 보이시오.

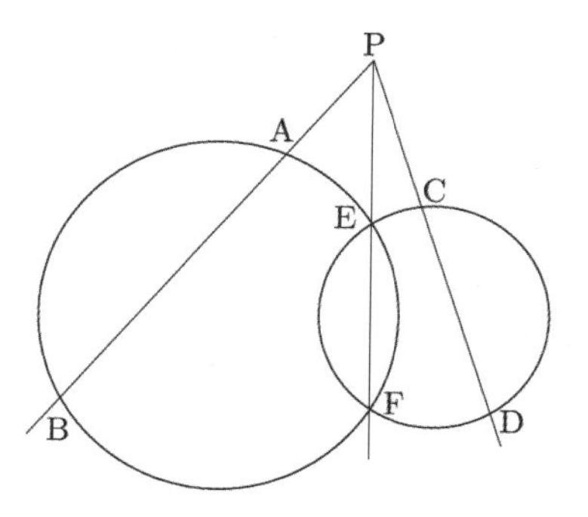

예제 8 ★★☆☆☆ 연습문제

한 점 E에서 접하는 두 원을 C_1, C_2라 하고 두 원 위에 있지 않은 한 점 P를 지나는 두 직선을 각각 l_1, l_2라 하자. l_1과 C_1이 만나는 두 점을 A, B, l_2와 C_2가 만나는 두 점을 C, D라 할 때, 네 점 A, B, C, D을 지나는 원이 존재함을 보이시오.

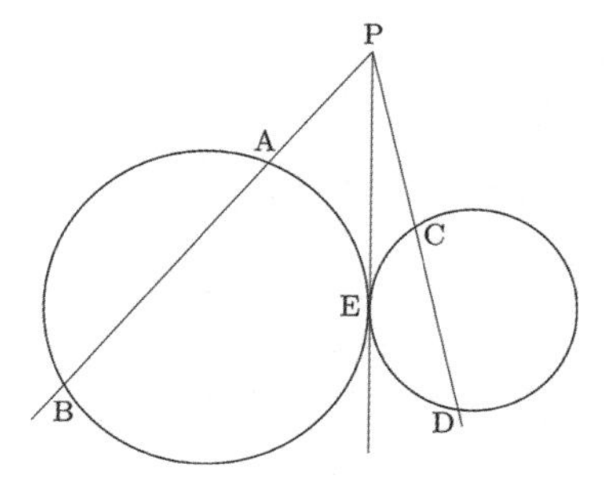

예제 9 ★★★☆☆ 연습문제

만나지 않는 두 원을 C_1, C_2 라 하고 두 원 위에 있지 않은 한 점 P를 지나는 두 직선을 각각 l_1, l_2라 하자. l_1과 C_1이 만나는 두 점을 A, B, l_2와 C_2가 만나는 두 점을 C, D라 할 때, 네 점 A, B, C, D을 지나는 원이 존재하기 위한 조건을 접선에 대한 관점에서 제시하시오.

해설 7

원 C_1에서 $\overline{PA}\times\overline{PB}=\overline{PE}\times\overline{PF}$를 만족시키고, 원 C_2에서 $\overline{PC}\times\overline{PD}=\overline{PE}\times\overline{PF}$를 만족시키므로
$\overline{PA}\times\overline{PB}=\overline{PC}\times\overline{PD}$ 이 성립한다. 따라서 할선정리의 역에 의하여 네 점 A, B, C, D를 동시에 지나는 한 원이 존재한다.

해설 8

원 C_1에서 $\overline{PA}\times\overline{PB}=(\overline{PE})^2$를 만족시키고, 원 C_2에서 $\overline{PC}\times\overline{PD}=(\overline{PE})^2$를 만족시키므로
$\overline{PA}\times\overline{PB}=\overline{PC}\times\overline{PD}$ 이 성립한다. 따라서 할선정리의 역에 의하여 네 점 A, B, C, D를 동시에 지나는 한 원이 존재한다.

해설 9

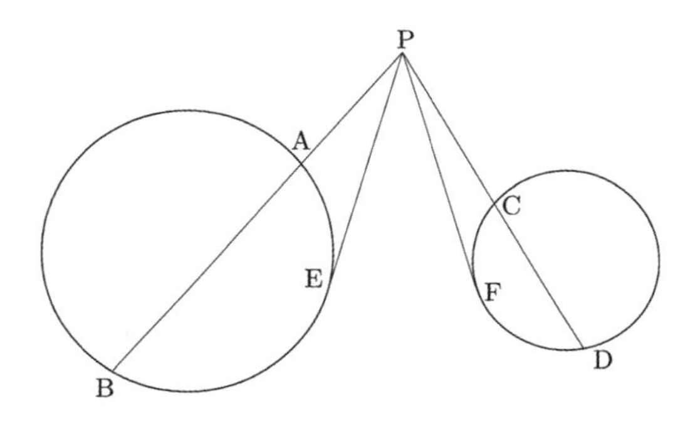

점 P에서 두 원에 그은 접선과의 접점을 각각 E, F라 하자.
원 C_1에서 $\overline{PA}\times\overline{PB}=(\overline{PE})^2$를 만족시키고, 원 C_2에서 $\overline{PC}\times\overline{PD}=(\overline{PF})^2$를 만족시키므로
$(\overline{PE})^2=(\overline{PF})^2$, $\overline{PE}=\overline{PF}$를 만족해야한다.

즉, 점 P에서 두 원에 그은 접선의 길이가 같아야 성립함을 알 수 있다.

| 해석 확장

〈예제 9〉의 증명을 약간만 확장시켜 해석해보자.

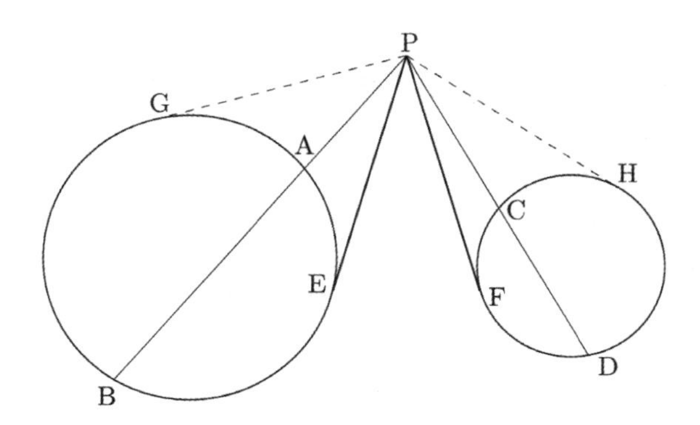

점 P에서는 각 원에 2개의 접선을 그을 수 있으므로 총 4개의 접선을 그을 수 있다.
그런데 $\overline{\mathrm{PE}}=\overline{\mathrm{PF}}$ 이므로 결국 이 4개의 접선의 길이가 모두 같아야 함을 알 수 있다.
이는 네 점 E, F, G, H가 점 P를 중심으로 하는 한 원 위에 있다는 것을 의미한다.

〈예제 9〉에서의 결론을 종합하면, 문제 조건에 의해 만들어진 네 점 A, B, C, D가 한 원 위에 동시에 있기 위한 필요충분조건은 점 P에서 두 원에 그은 접선에서의 네 접점 E, F, G, H가 한 원 위에 동시에 있어야 한다는 것이다.

두 조건의 구조가 매우 비슷하다는 것이 흥미롭다. (네 점이 한 원 위에 존재)

8. 삼각형의 세 개의 중심

| 무게중심의 정의

삼각형 ABC 각 변의 중점을 각각 M, N, L이라 하자. 세 선분 AL, BM, CN을 각각 중선이라고 하고, 이 세 중선은 한 점에서 동시에 만난다.[50] 이 점을 무게중심 G라 한다.

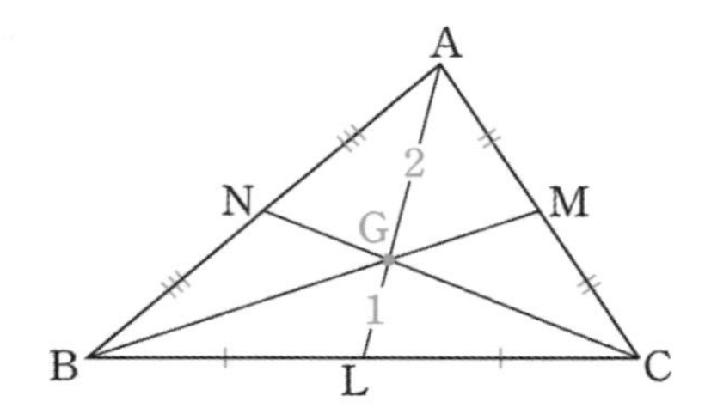

| 무게중심의 성질

(i) 점 G는 세 중선 AL, BM, CN을 2 : 1로 내분한다. (2가 꼭짓점 쪽, 1이 중점 쪽)

(ii) 세 직선 AG, BG, CG는 각각 선분 BC, CA, AB의 중점을 지난다.
(= 세 중선에 의해 나누어진 6개 삼각형들은 넓이가 같다.)

| 외심의 정의

삼각형 ABC의 외접원의 중심을 외심 O라 한다.

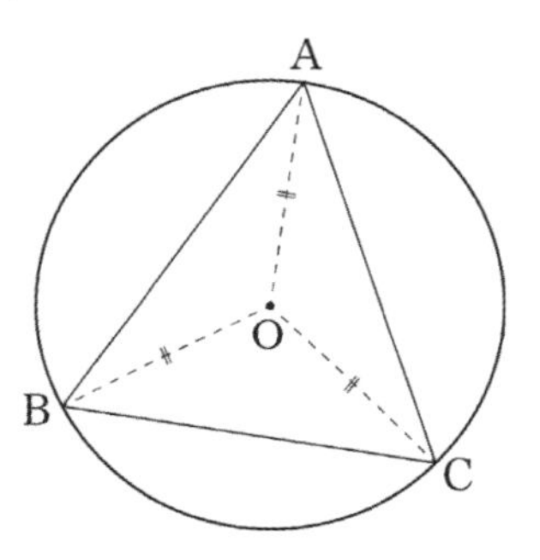

| 외심의 성질

(i) 세 삼각형 OAB, OBC, OCA는 이등변삼각형이다. (따라서 이등변삼각형의 성질을 모두 따른다.)

(ii) 외심 O와 세 변의 중점들을 이은 선분들은 각 변을 수직이등분한다. ((i)에서 나온 성질)

---

50) '왜 세 중선이 동시에 한 점에서 만나지?' 라는 의문을 품을 수 있다. 충분히 예리한 질문이지만 출제가능성은 낮기 때문에 Pass해도 무방하다.

| 내심의 정의

삼각형 ABC의 내접원의 중심을 내심 I라 한다.

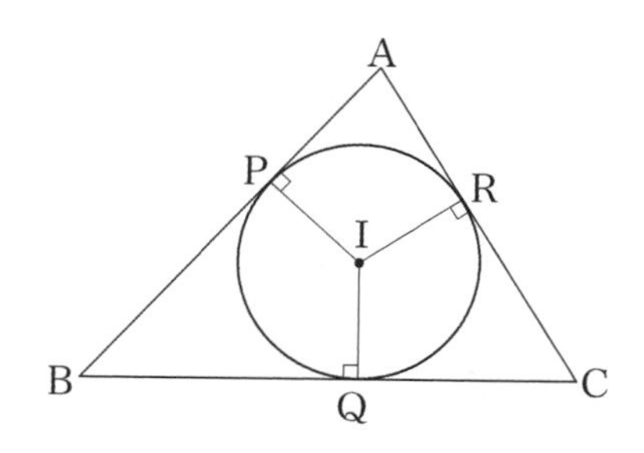

| 내심의 성질

(i) 꼭짓점을 지나는 두 변 위의 접점들에서부터 꼭짓점까지의 거리가 같다.
즉, $\overline{AP}=\overline{AR}$, $\overline{BP}=\overline{BQ}$, $\overline{CQ}=\overline{CR}$ 이다.

(ii) 내심 I에서 세 접점 P, Q, R 까지의 거리가 같고 i)에 의하여 합동관계에 있는 삼각형 세 쌍 (AIP − AIR , BIP − BIQ , CIQ − CIR)을 찾을 수 있다.
이로부터 세 선분 AI, BI, CI는 내각을 이등분한다는 사실을 알 수 있다.

모르겠으면 오른쪽 그림에서 $\overline{PA}=\overline{PB}$ 인 것을 알고 있는지 확인해보자. 내심의 성질 i)이 이 그림과 똑같은 상황이다. 추가적으로 점 P와 원의 중심을 잇는 선분이 ∠APB를 이등분하고 있는지까지 확인해보자.[51]

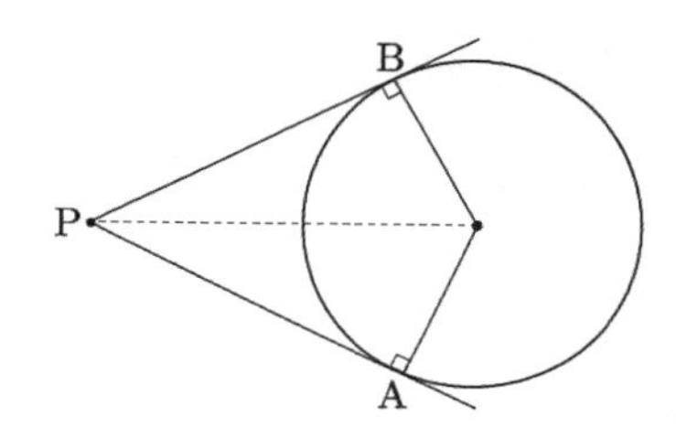

(i), (ii) 를 모두 표현하면 아래 그림과 같다.

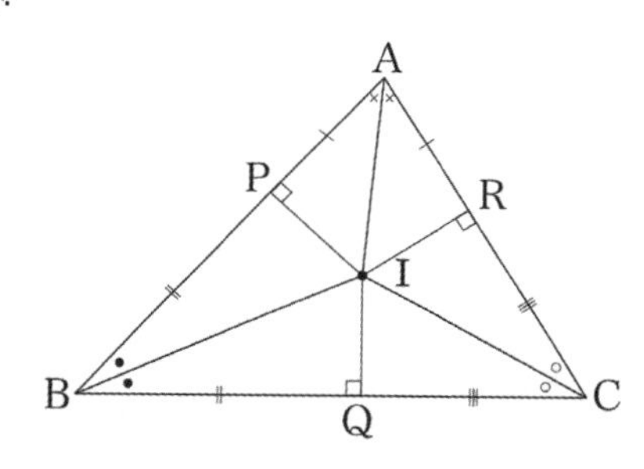

51) 이 상황은 사인법칙, 코사인법칙과도 잘 어울려 출제될 수 있으니 중요하다.

(iii) 삼각형의 넓이와 내접원의 반지름 사이에는 다음과 같은 관계에 있다.

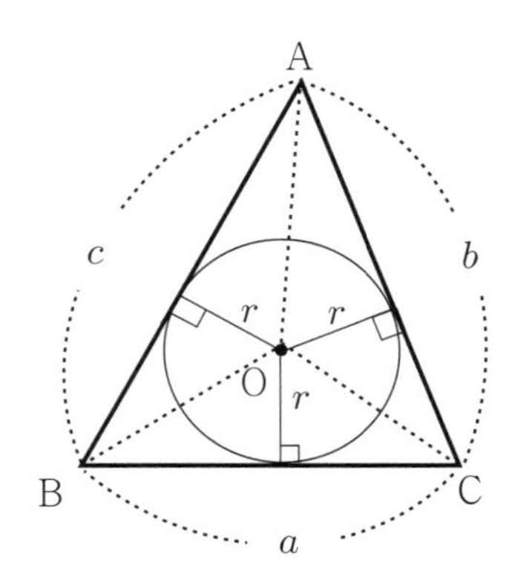

넓이 관점에서 보면 $\triangle \mathrm{ABC} = \triangle \mathrm{OBC} + \triangle \mathrm{OCA} + \triangle \mathrm{OAB} = \frac{1}{2}ar + \frac{1}{2}br + \frac{1}{2}cr = \frac{1}{2}r(a+b+c)$

이므로 $r = \frac{2S}{a+b+c}$ 이다. (S는 삼각형 넓이)

여기에 직각삼각형 넓이 $S = \frac{1}{2}ac$를 대입하면 $r = \frac{ac}{a+b+c}$ 이다. 이 모양도 나쁘지 않지만,

아래 Tip의 공식 모양이 좀 더 간단하다. (내심의 성질 (i)을 활용)

TIP

$\overline{\mathrm{CF}} = a - r = \overline{\mathrm{CD}}$, $\overline{\mathrm{AE}} = c - r = \overline{\mathrm{AD}}$ 이므로 $b = a + c - 2r$

이다. 따라서 $r = \frac{a+c-b}{2}$ 이다.

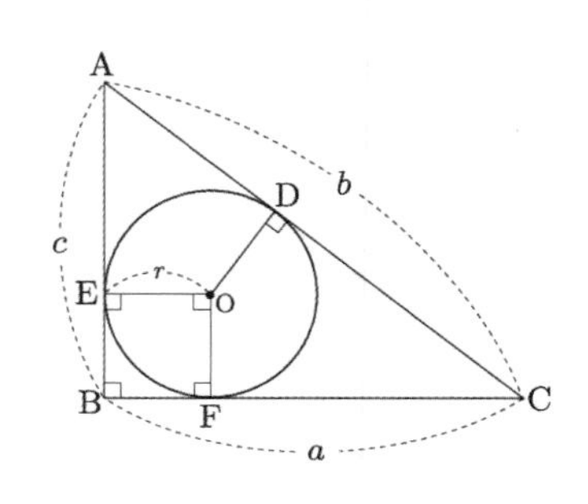

spoiler

삼각형 ABC의 세 꼭짓점의 좌표를 $\mathrm{A}(x_1, y_1)$, $\mathrm{B}(x_2, y_2)$, $\mathrm{C}(x_3, y_3)$라 하고

선분 BC, CA, AB의 길이를 각각 a, b, c라 하면, 내심의 좌표는

$$\left(\frac{ax_1 + bx_2 + cx_3}{a+b+c}, \frac{ay_1 + by_2 + cy_3}{a+b+c}\right)$$

이 된다.

기하를 알고 있는 학생들은 벡터를 도입하여 증명해보도록 하자.

Show and Prove

5-2

Chapter 5. 도형

논술용 삼각형 성질 총정리

1. 삼각부등식

한 평면 위의 서로 다른 세 점 A, B, C에 대하여, 부등식 $\overline{AB}+\overline{BC} \geq \overline{AC}$가 성립한다는 정리를 흔히 삼각부등식이라고 부른다. 매우 낯설 수 있는 부등식이지만, 사실 이건 중학교 때부터 여러분의 머릿속에 있는 부등식이다.

증명

세 점 A, B, C가 순서대로 수직선 위에 동시에 놓이는 경우, $\overline{AB}+\overline{BC}=\overline{AC}$가 되기 때문에 부등식이 성립한다. 또한 세 점 A, B, C가 수직선 위에 동시에 놓이지 않은 경우, 삼각형 ABC를 이루게 되므로 삼각형 결정조건[52]에 의하여 $\overline{AB}+\overline{BC}>\overline{AC}$ 이므로 부등식 $\overline{AB}+\overline{BC} \geq \overline{AC}$이 항상 성립한다.

예제 10 ★★★★☆ 2021 인하대 의예과/이공계 공통문항 일부

제시문 일부

(가) (삼각부등식) 좌표평면 위의 임의의 세 점 A, B, C에 대하여, 부등식 $\overline{AB}+\overline{BC} \geq \overline{AC}$가 성립한다. 역으로, 좌표평면 위에 임의의 두 점 A, B가 있고, 임의의 두 양수 p, q가 부등식

$$|p-q| \leq \overline{AB} \leq p+q$$

를 만족하면, $\overline{AC}=p$, $\overline{BC}=q$인 점 C가 좌표평면 위에 존재한다.

[1] 좌표평면에서 $\overline{OP_1}=10$, $\overline{P_1P_2}=20$인 점 P_1이 존재하는 점 P_2의 집합을 S라고 할 때, 도형 S의 넓이를 구하시오. (단, O는 원점이다.)

[2] 좌표평면에서 $\overline{OP_1}=a_1$, $\overline{P_1P_2}=a_2$, $\overline{P_2P_3}=a_3$인 두 점 P_1, P_2가 존재하는 점 P_3의 집합이 $\{P \mid \overline{OP} \leq 9\}$가 되도록 하는 자연수 a_1, a_2, a_3의 순서쌍 (a_1, a_2, a_3)의 개수를 구하시오.

52) 중학교때 배운거 맞잖아 인정해안해

해설
10

[1] 제시문 (가)에 의해 $\overline{\mathrm{OP_2}} \le \overline{\mathrm{OP_1}} + \overline{\mathrm{P_1P_2}} = 30$, $\overline{\mathrm{OP_2}} \ge \overline{\mathrm{P_1P_2}} - \overline{\mathrm{OP_1}} = 10$이다.

$10 \le \overline{\mathrm{OP_2}} \le 30$인 좌표평면의 점 $\mathrm{P_2}$에 대하여 제시문 (가)에 의하여 $\overline{\mathrm{OP_1}} = 10$, $\overline{\mathrm{P_1P_2}} = 20$인 $\mathrm{P_1}$이 존재한다.

따라서 주어진 집합은 $S = \{\mathrm{P} \mid 10 \le \overline{\mathrm{OP}} \le 30\}$와 같고, 넓이가 800π이다.

[2] 조건을 만족하는 점 $\mathrm{P_3}$의 집합을 T라고 하자. 제시문 (가)에 의해

$\overline{\mathrm{OP_3}} \le \overline{\mathrm{OP_2}} + \overline{\mathrm{P_2P_3}} \le (\overline{\mathrm{OP_1}} + \overline{\mathrm{P_1P_2}}) + \overline{\mathrm{P_1P_3}} \le a_1 + a_2 + a_3$

이다. $\overline{\mathrm{OP_3}}$의 최댓값은 O, $\mathrm{P_1}$, $\mathrm{P_2}$, $\mathrm{P_3}$가 직선 위에 이 순서대로 놓여있을 때이고,

이때, $\overline{\mathrm{OP_3}} = a_1 + a_2 + a_3 = 9$를 만족하므로 조건을 만족할 때 $a_1 + a_2 + a_3 = 9$이어야 한다.

(i) $\mathrm{P} \in T$이고 $\overline{\mathrm{OA}} = \overline{\mathrm{OP}}$라고 가정하자. 그러면 점 A는 점 P를 원점을 중심으로 회전해서 얻어진다.
이때 $\overline{\mathrm{OP_1}} = a_1$, $\overline{\mathrm{P_1P_2}} = a_2$, $\overline{\mathrm{P_2P_3}} = a_3$가 되는 두 점 $\mathrm{P_1}$, $\mathrm{P_2}$가 존재하는데 같은 회전에 의해서 $\mathrm{P_1}$, $\mathrm{P_2}$가 옮겨진 점을 각각 $\mathrm{A_1}$, $\mathrm{A_2}$라고 하면 $\overline{\mathrm{OP_1}} = a_1$, $\overline{\mathrm{A_1A_2}} = a_2$, $\overline{\mathrm{A_2A}} = a_3$이므로 $\mathrm{A} \in T$이다.

(ii) $\mathrm{P} \in T$이고 $\overline{\mathrm{OP}} < r < a_1 + a_2 + a_3$라고 가정하자. 정의에 의하여 $\overline{\mathrm{OP_1}} = a_1$, $\overline{\mathrm{P_1P_2}} = a_2$, $\overline{\mathrm{P_2P_3}} = a_3$인 두 점 $\mathrm{P_1}$, $\mathrm{P_2}$가 존재하며, $\angle \mathrm{OP_1P_2} = \alpha_1$, $\angle \mathrm{P_1P_2P_3} = \alpha_2$라고 하자.
$\alpha_1 \le \theta \le \pi$인 임의의 실수 θ에 대하여 $\overline{\mathrm{P_1P_2'}} = a_2$, $\overline{\mathrm{P_2'P_3'}} = a_3$, $\angle \mathrm{OP_1P_2'} = \theta$, $\angle \mathrm{P_1P_2'P_3'} = \alpha_2$인 점 $\mathrm{P_2'}$, $\mathrm{P_3'}$를 잡아서 $f(\theta) = \overline{\mathrm{OP_3'}}$라고 정의하자. 마찬가지로,
$\alpha_2 \le \theta \le \pi$인 임의의 실수 θ에 대하여 $\overline{\mathrm{P_1P_2'}} = a_2$, $\overline{\mathrm{P_2'P_3'}} = a_3$, $\angle \mathrm{OP_1P_2'} = \pi$, $\angle \mathrm{P_1P_2'P_3'} = \theta$인 점 $\mathrm{P_2'}$, $\mathrm{P_3'}$를 잡아서 $g(\theta) = \overline{\mathrm{OP_3'}}$라고 정의하자.
그러면 $f(\alpha_1) = \overline{\mathrm{OP}}$, $f(\pi) = g(\alpha_2)$, $g(\pi) = a_1 + a_2 + a_3$이고 $f(\theta)$와 $g(\theta)$는 연속함수이므로 사잇값 정리에 의하여 $g(t) = r$인 t $(\alpha_1 < t \le \pi)$ 또는 $g(t) = r$인 t $(\alpha_2 < t \le \pi)$가 존재한다.
따라서 $\overline{\mathrm{OP_3'}} = r$인 어떤 점 $\mathrm{P_3'}$는 집합 T의 원소이다.

(i), (ii)에 의하여 $T = \{\mathrm{P} \mid \overline{\mathrm{OP}} \le 9\}$일 필요충분조건은 $a_1 + a_2 + a_3 = 9$이고 $\mathrm{O} \in T$인 것이다.
$\mathrm{O} \in T$이려면 $\overline{\mathrm{OP_1}} = a_1$, $\overline{\mathrm{P_1P_2}} = a_2$, $\overline{\mathrm{P_2P_3}} = a_3$가 되는 두 점 $\mathrm{P_1}$, $\mathrm{P_2}$가 존재해야 하며 이는 세 자연수 $a_1 + a_2 + a_3$ 중에 가장 큰 것 a가 다른 두 자연수의 합 $9 - a$보다 작거나 같을 때이다.
따라서 자연수 a_1, a_2, a_3가 조건을 만족하려면 $a_1 + a_2 + a_3 = 9$이고, a_1, a_2, $a_3 \le 4$이어야 한다.

순서쌍 $(a_1,\ a_2,\ a_3)$의 개수를 세기 위해, a_1, a_2, a_3 중 하나가 5 이상인 것을 빼면
${}_3\mathrm{H}_0 - 3 \times {}_2\mathrm{H}_0 - 3 \times {}_2\mathrm{H}_1 - 3 \times {}_2\mathrm{H}_2 = {}_8\mathrm{C}_2 - 3 \times {}_1\mathrm{C}_1 - 3 \times {}_2\mathrm{C}_1 - 3 \times {}_3\mathrm{C}_1 = 10$개다.
(또는 중복조합을 쓰지 않고 순서쌍의 개수를 일일이 모두 세어도 된다.)

도움영상

2. 삼각형의 세 꼭짓점의 좌표를 알 때 삼각형의 넓이 구하는 방법

| 신발끈 공식

삼각형 ABC의 세 꼭짓점의 좌표를 각각 $(x_1,\ y_1),\ (x_2,\ y_2),\ (x_3,\ y_3)$로 알 때, 넓이를 구하기 위해 흔히 '신발끈 공식' 으로 불리는 공식을 떠올린다.

$$S=\frac{1}{2}\begin{vmatrix} x_1 & x_2 & x_3 & x_1 \\ y_1 & y_2 & y_3 & y_1 \end{vmatrix} \cdots ①$$

이 도구를 통해 대각선 관계에 있는 두 수를 곱하는데, ↗방향 대각선은 곱한 후 (+) 부호를 붙이고 ↘방향 대각선은 곱한 후 (−) 부호를 붙여서 만든 모든 값을 더해주면 된다. 즉,

$$S=\frac{1}{2}\left|(x_2y_1+x_3y_2+x_1y_3)-(x_1y_2+x_2y_3+x_3y_1)\right| \cdots ②$$

이다. 하지만 당연하게도 이 공식을 바로 쓰면 안된다. 교과 외 과정인 것은 둘째 치고,
①은 ②를 외우기 위한 도구[53]일 뿐이다. 절대적인 정리인 것처럼 답안에서 언급해서는 안된다는 뜻이다.

| 재래식 풀이

제일 먼저 떠올려야 하는 풀이는 '재래식 풀이'. 선분 AB의 길이 l_1을 구하고, 직선 AB의 방정식을 구한 후 점과 직선 사이의 거리 l_2를 공식을 통해 구하면 $S=\frac{1}{2}\times l_1\times l_2$ 로 구할 수 있다.

| 삼각형 쪼개기

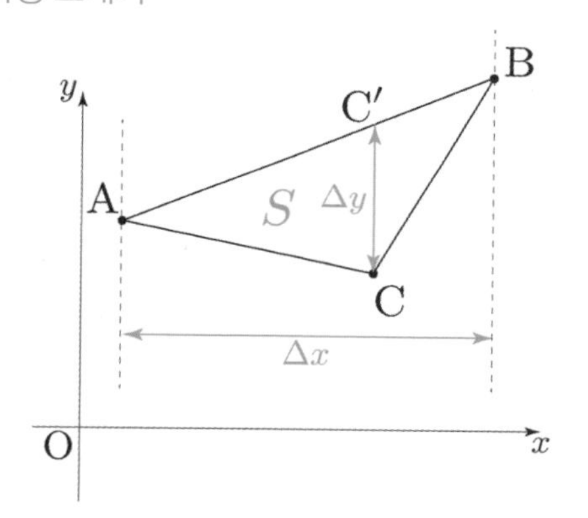

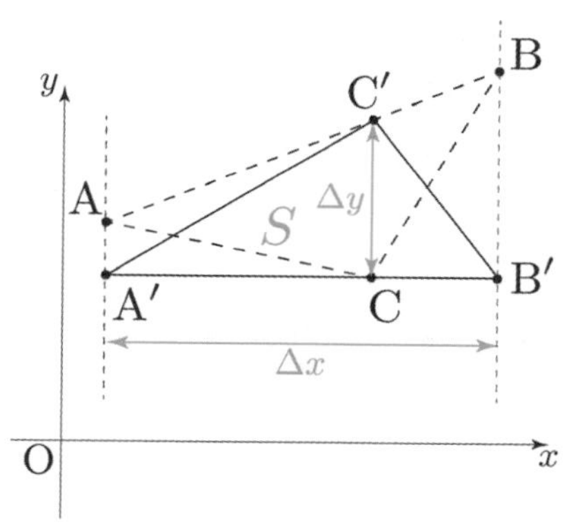

$(\because S_{\triangle \mathrm{ACC'}}=S_{\triangle \mathrm{A'CC'}},\ S_{\triangle \mathrm{BCC'}}=S_{\triangle \mathrm{B'CC'}})$

위 그림처럼, 직선 AB의 방정식에 점 C의 x좌표를 대입하여 점 $\mathrm{C'}$의 y좌표를 구한 후 두 점 $\mathrm{C},\ \mathrm{C'}$의 y좌표 차인 Δy값을 구하고, 두 점 $\mathrm{A},\ \mathrm{B}$의 x좌표 차인 Δx값을 구하면 $S=\frac{1}{2}\times\Delta x\times\Delta y$로 구할 수 있다. 이 방식은 고난도 수리논술 문제에서 애용되는 방식이므로 꼭 알아두자.[54]

'재래식 or 쪼개기' 두 방법 중 문제에 제일 편한 방법을 택하여 푼 후, 연습장에서 ②로 빠르게 검산해야지~

라고 생각했다면, 이 page를 제대로 공부한 것이다.

53) 수리논술에선 도구는 도구일 뿐, 절대적인 정리가 아니다. 아, 물론 롤에서는 '도구'도 존중해주자. 샤라웃 Keria :)
54) 2편 교재의 예제에서 관련문제를 풀어볼 수 있을 것.

Show
and
Prove

5-3 Chapter 5. 도형

실전 논제 풀어보기

- 해설집에 있는 논제에 대한 해설 중 어려운 부분의 이해를 도와주는 영상을 QR코드를 통해 볼 수 있습니다.
  완벽한 해설 강의가 아니기 때문에, 시청 전에 해설을 먼저 읽어본 후 QR코드의 강의를 활용하기 바랍니다.
- 답안지 Box의 점선 줄은 다음과 같이 활용하세요.
  ⓐ 답안 첫 두 줄을 점선 줄 위에서부터 시작해서, 아래 답안들도 줄이 삐뚤어지지 않도록 맞춰 써보세요.
  읽기 편한 글씨체와 줄 맞춰 쓰기는 채점관에게 좋은 인상의 답안이 되기 위한 기본기입니다 :)
  ⓑ 줄 맞춰 쓸 연습이 필요 없다면, 이 문제에 쓰이는 필수 Idea를 필기하는 용도로 활용하세요.

논제 14

★★★☆☆ 2021 한양대 의예과 논술

제시문 일부

〈가〉 평면 위에 반지름의 길이가 1 인 원 C와 D가 서로 접하고 있다. 원 C와 D는 각각 직선 l과 서로 다른 점에서 접한다. 원 C, D, 직선 l에 둘러싸인 영역을 A라고 하자.

제시문 〈가〉에서 직선 l에 접하면서 영역 A에 들어갈 수 있는 가장 큰 원을 C_1이라 하자. 영역 A에서 원 C_1, $\cdots$, C_n의 내부를 제외한 영역에 들어가고, 그 중심이 원 C_1, $\cdots$, C_n의 중심과 다르며, 직선 l에 접하는 가장 큰 원 하나를 택하여 C_{n+1}이라 하자. 원 C_{12}의 반지름의 길이를 구하시오.

연습지

답안지

논제 15

★★☆☆☆ 2021 연세대

제시문

어떤 삼각형 ABC 가 있을 때, 사각형 PQRS 가 직사각형이 되도록 삼각형 ABC 의 세 변 위의 네 점 P, Q, R, S 를 선택한다. 다음 물음에 답하시오.

[1] 사각형 PQRS 의 넓이가 최대일 때, 삼각형 ABC 의 넓이와 사각형 PQRS 의 넓이의 차가 43 이라 하자. 이 때, 삼각형 ABC 의 넓이를 구하시오.

[2] 사각형 P′Q′R′S′ 가 다음 조건을 만족시킬 때, 삼각형 ABC 의 넓이를 구하시오.

> (가) 사각형 P′Q′R′S′ 는 직사각형이고 네 꼭짓점은 삼각형 ABC 와 사각형 PQRS 의 변 위에 있다.
> 그리고 두 사각형 PQRS 와 P′Q′R′S′ 의 내부가 서로 겹치는 부분은 없다.
> (나) 두 사각형 PQRS 와 P′Q′R′S′ 의 넓이의 합이 최대일 때,
> 삼각형 ABC 의 넓이에서 두 사각형 PQRS 와 P′Q′R′S′ 의 넓이의 합을 뺀 값은 47 이다.

연습지

답안지

논제 16

★★★★☆ 2021 이화여대 메디컬 논술

좌표평면에 길이가 10 인 선분을 $I=\{(x,0)\mid -5 \le x < 5\}$ 로 정하고 선분 밖에 있는 점 P 와 선분 I의 두 점 A , B 가 이루는 각을 $\angle \mathrm{APB}=\theta$ $(0 \le \theta < \pi)$라고 할 때 다음 물음에 답하여라.

[1] 선분 밖의 점 P 가 y 축의 점이고 $\theta=\frac{\pi}{6}$가 되도록 선분 I의 두 점 A , B 를 선택할 수 있을 때, 점 P 의 집합을 J라 하자. 집합 $J\cup\{(0,0)\}$ 이 나타내는 그림의 길이를 구하여라.

[2] 선분 I의 양 끝점 $(-5,0)$, $(5,0)$ 와 $\theta=\frac{\pi}{6}$가 되는 선분 밖의 점 P 의 집합을 S라 하자. 집합 $S\cup\{(-5,0),(5,0)\}$ 이 나타내는 그림의 길이를 구하여라.

[3] 선분 밖의 점 P 가 $\theta=\frac{\pi}{6}$가 되도록 선분 I의 두 점 A , B 를 선택할 수 있을 때, 점 P 를 집합 V의 원소라 하자. 집합 $V\cup I$를 나타내는 그림의 넓이를 구하여라.

연습지

답안지

Show
and
Prove

기대T 수리논술 수업 상세안내

수업명	수업 상세 안내 (지난 수업 영상수강 가능)
정규반 프리시즌 (2월)	- 수리논술만의 특징인 '답안작성 능력'과 '증명 능력'을 향상 시키는 수업 - 수험생은 물론 강사도 가질 수 있는 '증명 오개념'을 타파시키는 수학 전공자의 수업
정규반 시즌1 (3월)	- 수능/내신 공부와 다른 수리논술 공부의 결 & 방향성을 잡아주는 수업 - 삼각함수 & 수열의 콜라보 등 논술형 발전성을 체감해볼 수 있는 실전 내용 수업
정규반 시즌2 (4~5월)	- 수리논술에서 50% 이상의 비중을 차지하는 수리논술용 미적분을 집중 해석하는 수업 - 수리논술에도 존재하는 행동 영역을 통해 고난도 문제의 체감 난이도를 낮춰주는 수업 - 대학의 모범답안을 보고도 '이런 아이디어를 내가 어떻게 생각해내지?'라는 생각이 드는 학생들도 납득 가능하고 감탄할 만한 문제접근법을 제시해주는 수업
정규반 시즌3 (6~7월)	- 상위권 대학의 합격 당락을 가르는 고난도 주제들을 총정리하는 수업 - 아래 학교의 수리논술 합격을 바라는 학생들이라면 강추 (메디컬, 고려, 연세, 한양, 서강, 서울시립, 경희, 이화, 숙명, 세종, 서울과기대, 인하)
선택과목 특강 (선택확통 / 선택기하)	- 수능/내신의 빈출 Point와의 괴리감이 제일 큰 두 과목인 확통/기하의 내용을 철저히 수리논술 빈출 Point에 맞게 피팅하여 다루는 Compact 강의 (영상 수강 전용 강의) - 확통/기하 각각 2~3강씩으로 구성된 실전+심화 수업 (교과서 개념 선제 학습 필요) - 상위권 학교 지원자들은 꼭 알아야 하는 필수내용 / 6월 또는 7월 내로 완강 추천
Semi Final (8월)	- 본인에게 유리한 출제 스타일인 학교를 탐색하여 원서지원부터 이기고 들어갈 수 있도록 태어난 새로운 수업 (모든 대학을 출제유형별로 A그룹~D그룹으로 분류 후 분석) - 최신기출 (작년 기출+올해 모의) 중 주요 문항 선별 통해 주요대학 최근 출제 경향 파악
고난도 문제풀이반 For 메디컬/고/연/서성한시	- 2월~8월 사이 배운 모든 수리논술 실전 개념들을 고난도 문제에 적용 해보는 수업 - 전형적인 고난도 문제부터 출제될 시 경쟁자와 차별될 수 있는 창의적 신유형 문제까지 다양하게 만나볼 수 있는 수업
학교별 Final (수능전 / 수능후)	- 학교별 고유 출제 스타일에 맞는 문제들만 정조준하여 분석하는 Final 수업 - 빈출 주제 특강 + 예상 문제 모의고사 응시 후 해설 & 첨삭 - 고승률 문제접근 Tip을 파악하기 쉽도록 기출 선별 자료집 제공 (학교별 상이)
첨삭	수업 형태 (현장 강의 수강, 온라인 수강) 상관없이 모든 학생들에게 첨삭이 제공됩니다. 1차 서면 첨삭 후 학생이 첨삭 내용을 제대로 이해했는지 확인하기 위해, 답안을 재작성하여 2차 대면 첨삭영상을 추가로 제공받을 수 있습니다. 이를 통해 학생은 6~10번 이내에 합격급으로 논리적인 답안을 쓸 수 있게 되며, 이후에는 문제풀이 Idea 흡수에 매진하면 됩니다.

정규반 안내사항 (아래 QR코드 참고)

대학별 Final 안내사항 (아래 QR코드 참고)

최근 기출 갈무리

- 대한민국 모든 학교의 수리논술 최근 문제 중 복습 점검에 활용하기 좋은 실전 논제를 추가로 선별하여 수록했습니다.
- 해설집에 있는 논제에 대한 해설 중 어려운 부분의 이해를 도와주는 영상을 QR 코드를 통해 볼 수 있습니다.
  완벽한 해설 강의가 아니기 때문에, 시청 전에 해설을 먼저 읽어본 후 QR 코드의 강의를 활용하기 바랍니다.
- 답안지 Box의 점선 줄은 다음과 같이 활용하세요.
  ⓐ 답안 첫 두 줄을 점선 줄 위에서부터 시작해서, 아래 답안들도 줄이 삐뚤어지지 않도록 맞춰 써보세요.
  읽기 편한 글씨체와 줄 맞춰 쓰기는 채점관에게 좋은 인상의 답안이 되기 위한 기본기입니다 :)
  ⓑ 줄 맞춰 쓸 연습이 필요 없다면, 이 문제에 쓰이는 필수 Idea를 필기하는 용도로 활용하세요.

논제 17

★★★☆☆ 2023 건국대

제시문

(가) 실수 x 에 대하여 x 보다 크지 않은 최대의 정수를 $[x]$ 로 나타내자.

예를 들어, $[4]=4$ 이고 $\left[\frac{21}{5}\right]=4$ 이다.

(나) 자연수 n 에 대하여 수열 $\{c_n\}$은 다음과 같이 정의한다.

$$c_n=\sum_{k=1}^{\infty}\left[\frac{n}{10^k}\right]$$

예를 들어, $c_{123}=\left[\frac{123}{10}\right]+\left[\frac{123}{10^2}\right]+\left[\frac{123}{10^3}\right]+\cdots=12+1+0+\cdots=13$이다.

(다) $x_1+x_2+x_3+x_4=8$ 을 만족시키는 음이 아닌 정수 순서쌍 $(x_1,\ x_2,\ x_3,\ x_4)$ 의 개수는 165 이다.

(나)에서 정의된 수열 $\{c_n\}$을 이용하여 수열 $\{d_n\}$을 다음과 같이 정의한다.

$$d_n=c_{10n}-10\times c_n$$

다음을 만족하는 자연수 n의 개수를 구하고 풀이 과정을 쓰시오.

$$d_n=8,\ 1\le n\le 6200$$

연습지

답안지

논제 18 ★★★★☆ 2017 인하대

제시문

(가) 양의 실수 a에 대하여 $a+\frac{1}{a} \geq 2$이다.

(나) 어떤 명제 $p(n)$이 모든 자연수 $n \geq 2$에 대하여 성립함을 증명할 때, 수학적 귀납법을 이용하려면 다음 두 가지를 보여야 한다.
(ⅰ) $n=2$일 때, 명제 $p(n)$이 성립한다.
(ⅱ) $n=k\ (k \geq 2)$일 때, 명제 $p(n)$이 성립한다고 가정하면 $n=k+1$일 때도 명제 $p(n)$이 성립한다.

(※) 모든 항이 양수인 수열 $\{a_n\}$이 다음 부등식을 만족한다.

$$a_{n+1} \geq \frac{n\,a_n}{{a_n}^2+n-1}\quad (n=1, 2, 3, \cdots)$$

[1] 모든 자연수 n에 대하여 다음 부등식이 성립함을 보이시오.

$$\frac{n}{a_{n+1}}-\frac{n-1}{a_n} \leq a_n$$

[2] 자연수 n에 대하여 다음 부등식이 성립함을 보이시오.

$$a_1+a_2+\cdots+a_n \geq \frac{n}{a_{n+1}}$$

[3] 수학적 귀납법을 이용하여, 모든 자연수 $n \geq 2$에 대하여 다음 부등식이 성립함을 보이시오.

$$a_1+a_2+\cdots+a_n \geq n$$

연습지

답안지

논제 19

★★★★☆ 2020 시립대 모의논술

모든 자연수 n에 대하여 다음 부등식이 성립함을 보이시오.

$$\frac{n^n \times n!}{(2n)!} \le \left(\frac{1}{\sqrt{2}}\right)^n$$

연습지

답안지

논제 20

★★★☆☆ 2022 가톨릭대

제시문

(ㄱ) [수학적 귀납법] 자연수 n 에 대한 명제 $p(n)$ 이 모든 자연수 n 에 대하여 성립함을 증명하려면 다음 두 가지를 보이면 된다.

> (ⅰ) $n=1$ 일 때 명제 $p(n)$ 이 성립한다.
> (ⅱ) $n=k$ 일 때 명제 $p(n)$ 이 성립한다고 가정하면
> $n=k+1$ 일 때도 명제 $p(n)$ 이 성립한다.

(ㄴ) 자연수 n 에 대한 명제 $p(n)$ 은 다음과 같다.

> 모든 자연수 m 에 대하여 $\int_0^1 x^m (1-x)^n \, dx = \dfrac{m!n!}{(m+n+1)!}$ 이다.

(ㄷ) 모든 실수 c 에 대하여 다음의 부등식을 만족시키는 자연수 n 의 집합을 A 라고 하자.

$$\int_0^1 x^n (1-x)^n \left(1+2\sqrt{3}\,cx+\frac{27}{10}c^2x^2\right) dx > 0$$

[1] 제시문 (ㄴ)의 명제 $p(n)$ 이 모든 자연수 n 에 대하여 성립함을 수학적 귀납법으로 증명하시오.

[2] 제시문 (ㄷ)의 집합 A 를 구하고 그 과정을 논술하시오.

연습지

답안지

논제 21 ★★☆☆☆ 2022 건국대

제시문 일부

(가) 사인법칙과 코사인법칙을 활용하여 삼각형을 포함한 여러 가지 도형의 문제를 해결할 수 있다.

(다) [그림 1]에서 점 P는 삼각형 ABD의 외접원 위에 있고 점 Q는 삼각형 BCD의 외접원 위에 있다.

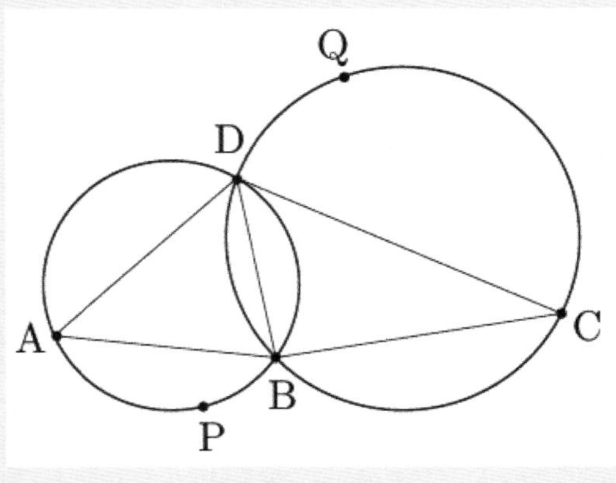

[그림 1]

제시문 (다)에서 $\overline{\mathrm{BD}}=2$, $\sin\angle\mathrm{BAD}=\frac{1}{2}$, $\sin\angle\mathrm{BCD}=\frac{1}{3}$ 일 때 $\overline{\mathrm{PQ}}$의 값 중 가장 큰 것을 구하고 풀이과정을 쓰시오.

연습지

답안지

제시문 일부

삼각형 ABC 의 세 변의 길이가 a, b, c 라 하자.

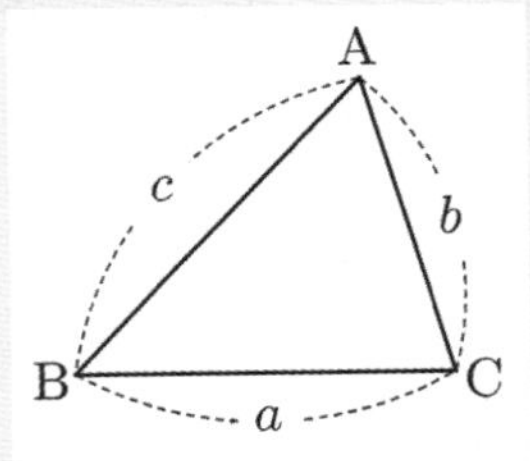

(가) 삼각형 ABC 에서 외접원의 반지름의 길이를 R 라고 하면

$$\frac{a}{\sin A}=\frac{b}{\sin B}=\frac{c}{\sin C}=2R$$

(나) 삼각형 ABC 에서

$$a^2=b^2+c^2-2bc\cos A$$
$$b^2=c^2+a^2-2ca\cos B$$
$$c^2=a^2+b^2-2ab\cos C$$

(다) 삼각형 ABC 의 넓이를 S 라고 하면

$$S=\frac{1}{2}bc\sin A=\frac{1}{2}ca\sin B=\frac{1}{2}ab\sin C$$

한 변의 길이가 1 인 정삼각형 ABC 가 있다. 선분 AC 위의 양 끝점이 아닌 임의의 점 D 에 대하여 직선 BD 위의 점 중 점 C 로부터의 거리가 1 인 점을 E 라 하자. (단, 점 E 는 점 B 가 아니다.)
다음 물음에 답하시오.

[1] $\overline{\mathrm{AD}}=x$ 라 할 때, 삼각형 CDE 의 외접원의 반지름의 길이를 x에 대한 식으로 나타내시오.

[2] 삼각형 CDE 의 넓이를 S라 할 때, $S\times\overline{\mathrm{BD}}^2$ 의 값이 최대가 되도록 하는 선분 AD 의 길이를 구하시오.

연습지

답안지

논제 23

★★★★☆ 2022 시립대

수열 $\{a_n\}$ 의 귀납적 정의가

$$a_1 = 5,\ a_{n+1} = \frac{3}{4}a_n + \frac{2}{\sqrt{a_n}}\ \ (n = 1,\ 2,\ 3,\ \cdots)$$

일 때, 다음 부등식이 성립함을 보여라.

$$4 < a_n \le \left(\frac{3}{4}\right)^{n-1} + 4\ \ (n = 1,\ 2,\ 3,\ \cdots)$$

연습지

답안지

논제 24

★★★★☆ 2021 가톨릭 메디컬

제시문

(ㄱ) 닫힌구간 $\left[0, \frac{\pi}{4}\right]$ 에서 정의된 함수 $f(x)$는 다음과 같다.

$$f(x) = 2\int_0^x \tan\theta \sec^2\theta \, d\theta + 1$$

(ㄴ) 제시문 (ㄱ)의 함수 $f(x)$에 대하여 수열 $\{a_n\}$의 일반항은 다음과 같다.

$$a_n = \frac{1}{4^n} f\left(\frac{\pi}{2^{n+2}}\right)$$

(ㄷ) 제시문 (ㄴ)의 수열 $\{a_n\}$에 대하여 S는 다음과 같다.

$$S = \sum_{n=1}^{\infty} a_n$$

(ㄹ) [사인함수의 덧셈정리]

1) $\sin(\alpha+\beta) = \sin\alpha\cos\beta + \cos\alpha\sin\beta$
2) $\alpha = \beta$ 일 때, $\sin 2\alpha = 2\sin\alpha\cos\alpha$

제시문 (ㄷ)의 S의 값을 구하고 그 근거를 논술하시오.

연습지

답안지

논제 25

★★☆☆☆ 2021 연세대

100 명의 학생 중 k 명을 선정하여, 두 명을 회장, 다른 다섯 명을 부회장, 나머지는 위원으로 임명하는 경우의 수가 최대가 되도록 하는 모든 k의 값을 구하시오. (단, $10 \leq k \leq 100$)

연습지

답안지

논제 26

★★★★★ 2021 한양대 기출

제시문

수열 $\{a_k\}$ 는 모든 자연수 k 에 대하여 다음을 만족시킨다.

1. $a_1 = 2021$
2. $a_{2k} = (a_k - 2020)^{2021} + 2020$
3. $a_{2k+1} = (a_k - 2022)^{2020} + 2018$

[1] a_{36} 의 값을 구하시오.

[2] $a_k < 2^{2020}$ 이고 $k \le 2^{100}$ 인 자연수 k 의 개수를 구하시오.

[3] $a_1,\ a_2,\ a_3,\ \cdots$ 중 가장 작은 수를 α 라 하자. $n > 2$ 인 자연수 n 에 대하여 $a_k = \alpha$ 이고 $k \le 2^n$ 인 자연수 k 의 개수를 c_n 이라 하자. $S_n = \sum_{t=1}^{n} \frac{2(n-1)}{2c_n + t(n-1)}$ 이라 할 때, $\lim_{n \to \infty} S_n$ 의 값을 구하시오.

연습지

답안지

논제 27

★★★★☆ 2021 서울대 일반전형

다항식 $g(x)=x^4+x^3+x^2+x+1$ 에 대하여 다음 물음에 답하시오.

[1] x^5 을 $g(x)$ 로 나눈 나머지를 구하시오.

[2] 자연수 n 에 대하여 $f_n(x)=(x^3+x^2+3)^n$ 이라 하자. $f_n(x)$ 를 $g(x)$ 로 나눈 나머지를

$$r_n(x)=a_n x^3+b_n x^2+c_n x+d_n \qquad (\text{단, } a_n,\ b_n,\ c_n,\ d_n \text{ 은 정수})$$

라고 쓰자. 모든 $n \geq 1$ 에 대하여 $a_n=b_n$, $c_n=0$ 임을 보이시오.

[3] 모든 $n \geq 1$ 에 대하여 ${a_n}^2+a_n d_n-{d_n}^2$ 의 값을 구하시오.

연습지

답안지

논제 28

★★☆☆☆ 2023 덕성여대 모의논술

다음 그림과 같이 $\overline{AB}=5+2\sqrt{2}$, $\overline{AC}=5-2\sqrt{2}$, $\overline{BC}=7$인 삼각형 ABC가 있다.
삼각형 ABC에 내접하는 원을 C_1이라 하고, 선분 AC와 원 C_1의 접점을 Q_1이라 하자.

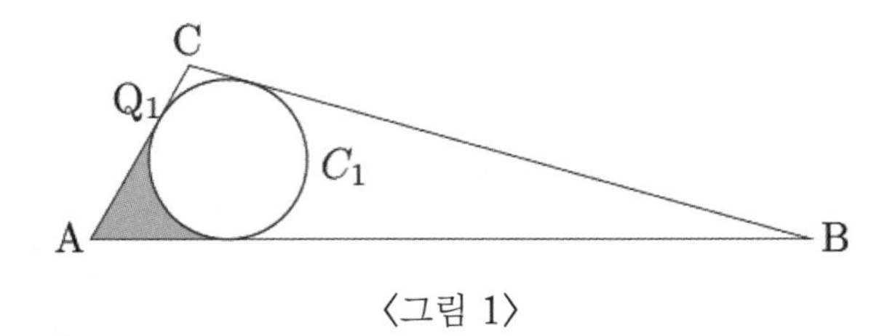

〈그림 1〉

〈그림 1〉에서 선분 AQ_1의 길이 및 색칠된 부분 (두 선분 AQ_1, AB와 원 C_1으로 둘러싸인 부분) 의 넓이를 구하시오.

연습지

답안지

논제 29

★★★☆☆ 2023 동국대 모의논술

제시문

[가] 코사인법칙 [고등학교 수학 I] (문제풀이 여백을 위해 본권에서는 제시문을 생략합니다.)

[나] 삼각형 ABC의 넓이를 S라고 하면,

$$S=\frac{1}{2}bc\sin A=\frac{1}{2}ca\sin B=\frac{1}{2}ab\sin C$$

[고등학교 수학 I]

[다] x의 값의 범위가 $\alpha \le x \le \beta$일 때, 이차함수 $y=a(x-p)^2+q$의 최댓값과 최솟값은 이차함수의 꼭짓점의 x좌표 p가 주어진 범위에 포함되는지 조사하여 다음과 같이 구한다.

(1) $\alpha \le p \le \beta$인 경우, $f(\alpha), f(\beta), f(p)$중에서 가장 큰 값이 최댓값이고, 가장 작은 값이 최솟값이다.

(2) $p<\alpha$ 또는 $p>\beta$인 경우, $f(\alpha), f(\beta)$중에서 가장 큰 값이 최댓값이고, 가장 작은 값이 최솟값이다.

[고등학교 수학]

[라] 원에 내접하는 사각형의 한 쌍의 대각의 크기의 합은 180°이다. [고등학교 수학 I]

원에 내접하는 사각형 ABCD의 네 변의 길이의 합이 22이고 $\angle A=60^\circ$, $\overline{BD}=8$일 때, $\overline{CB}+\overline{CD}$의 범위를 구하라. 그리고, 사각형 ABCD의 넓이가 최대가 될 때 $\overline{CB}+\overline{CD}$의 길이를 구하라.

연습지

답안지

논제 30 ★★★☆☆ 2022 숙명여대

제시문

$n \geq k$ 인 자연수 n과 k에 대하여 유리수 $\alpha(n,k)$를 $\alpha(n,k) = \frac{1}{k}\,{}_{2n-k}\mathrm{C}_{k-1}$이라고 정의하자. 이때

$${}_{n}\mathrm{C}_{r} = \frac{n!}{r!(n-r)!} = \frac{n(n-1)(n-2)\ldots(n-r+1)}{r!}$$

은 서로 다른 n개에서 r $(0 \leq r \leq n)$개를 택하는 조합의 수이다. 단, $0! = 1$로 정의한다. 그러면 항등식

$$1^2 + 2^2 + 3^2 + \ldots + n^2 = \frac{n(n+1)(2n+1)}{6}$$

을 이용하여 $n \geq 4$일 때, 명제

① $\alpha(n,4)$는 자연수이다.

가 참임을 증명할 수 있다.
또한, $n \geq 3$일 때, 명제 '$3 \times \alpha(n,n-1)$이 자연수이다.'가 참임을 다음과 같이 증명할 수 있다.

$$\alpha(n,n-1) = \frac{1}{n-1}\,{}_{n+1}\mathrm{C}_{n-2} = \frac{1}{n-1}\,{}_{n+1}\mathrm{C}_{3} = \frac{1}{3} \times \frac{(n+1)n}{2 \times 1} = \frac{1}{3}\,{}_{n+1}\mathrm{C}_{2}$$

소수는 1과 자기 자신만을 약수로 가지는 1보다 큰 자연수이다. 유리수 $\alpha(17,7)$은 정의에 의하여

$$\alpha(17,7) = \frac{1}{7}\,{}_{27}\mathrm{C}_{6} = \frac{27 \times 26 \times \ldots \times 22}{7!} \quad \cdots (1)$$

이다. 유리수 $\alpha(17,7)$이 자연수라고 가정하면, (1)의 우변의 분모인 7!이 소수 7의 배수이므로, 분자
$27 \times 26 \times \ldots \times 22 \cdots (2)$
는 소수 7의 배수이다. 그런데 (2)는 소수 7의 배수가 아님을 증명할 수 있다. 따라서 모순이다.
그러므로 $\alpha(17,7)$은 자연수가 아니다.

[1] 명제 ①이 참임을 증명하시오.

[2] $n \geq 4$일 때, $5 \times \alpha(n,n-2)$와 $\alpha(100,67)$이 자연수인지 아닌지를 각각 판별하고, 그 이유를 설명하시오.
(단, 67은 소수이다.)

연습지

답안지

논제 31

★★★☆☆ 2024 세종대 모의논술

제시문

모든 항이 자연수인 수열 $\{a_n\}$이 다음 조건을 만족시킨다.

(가) $a_5 = 4$이고 $a_2 < 200$

(나) 모든 자연수 n에 대하여 $a_{n+2} = \begin{cases} 2a_n & (a_{n+1} \leq 80) \\ a_{n+1} - 80 & (a_{n+1} > 80) \end{cases}$

[1] a_2의 최댓값을 구하시오.

[2] a_1이 될 수 있는 서로 다른 모든 수의 합을 구하시오.

[3] $a_8 \leq 90$일 때, a_9가 될 수 있는 서로 다른 모든 수의 합을 구하시오.

연습지

답안지

논제 32 ★★★☆☆ 2023 성균관대

제시문

〈제시문1〉

첫째항부터 차례대로 일정한 수를 더하여 만든 수열을 등차수열이라 하며, 그 일정한 수를 공차라고 한다. 공차가 d인 등차수열 $\{a_n\}$에서 제 n항에 공차 d를 더하면 제$(n+1)$항이 되므로 다음이 성립한다.

$$a_{n+1} = a_n + d \quad (n = 1, 2, 3, \cdots)$$

〈제시문2〉

첫째항부터 차례대로 일정한 수를 곱하여 만든 수열을 등비수열이라 하며, 그 일정한 수를 공비라고 한다. 공비가 $r\,(r \neq 0)$인 등비수열 $\{a_n\}$에서 제 n항에 공비 r를 곱하면 제$(n+1)$항이 되므로 다음이 성립한다.

$$a_{n+1} = ra_n \quad (r \neq 0, n = 1, 2, 3, \cdots)$$

〈제시문3〉

세 개의 정수로 이루어진 순서쌍의 집합 M을 다음과 같이 정의하자.

$$M = \{(a,b,c)\,|\,a,b,c\text{는 정수이고 } 1 \le |a|, |b|, |c| \le 100\}$$

이때, 집합 M의 원소의 개수는 200^3이다.

[1] 삼각형의 세 변의 길이가 각각 100 이하의 자연수이면서 등차수열을 이루는 삼각형의 개수를 구하고 그 이유를 논하시오, (단. 합동인 두 삼각형은 한 개의 삼각형으로 간주한다.)

[2] 삼각형의 세 변의 길이가 각각 100 이하의 자연수이면서 등비수열을 이루는 삼각형의 개수를 구하고 그 이유를 논하시오, (단. 합동인 두 삼각형은 한 개의 삼각형으로 간주하며, $\sqrt{5} = 2.236\cdots$이다.)

[3] 〈제시문3〉에서 정의된 집합 M의 원소 (a,b,c) 중에서 다음의 두 조건을 모두 만족하는 모든 원소의 개수를 구하고 그 이유를 논하시오.

(가) a,b,c는 이 순서대로 등차수열을 이룬다.

(나) a,b,c를 일렬로 나열하여 적어도 한 개의 등비수열을 만들 수 있다. 예를 들어, $(a,b,c) = (1,2,3)$인 경우 a,b,c를 일렬로 나열하는 방법은 다음의 여섯 가지가 있다.

① 1,2,3 ② 1,3,2 ③ 2,1,3 ④ 2,3,1 ⑤ 3,1,2 ⑥ 3,2,1

연습지

답안지

논제 33 ★★★☆☆ 2020 연세대 논술

제시문

좌표평면에서 벡터 $\vec{a}$에 대한 다음의 두 명제 p_1, p_2가 있다.

p_1 : $\vec{a}+\vec{b}=\vec{v}$와 $|\vec{v}| \le |\vec{a}|+|\vec{b}| \le 2|\vec{v}|$를 만족시키는 벡터 $\vec{b}$가 존재한다.

p_2 : $\vec{a}+\vec{b}=\vec{v}$와 $|\vec{a}|=m$, $|\vec{b}|=n$을 만족시키는 벡터 $\vec{b}$가 존재한다.

(단, m과 n은 $0<m<n$인 고정된 실수이다.)

[1] 벡터 $\vec{v}=(c,\ 0)$일 때, 명제 p_1을 만족시키는 위치벡터 $\vec{a}$의 종점이 이루는 도형을 c를 이용하여 나타내시오. (단, c는 양의 실수이다.)

[2] 명제 p_2를 만족시키는 벡터 $\vec{a}$의 집합을 S라고 할 때, 집합 S의 원소의 개수가 2가 되는 벡터 $\vec{v}$의 조건을 m과 n을 사용하여 나타내시오.

연습지

답안지

논제 34

★★★☆☆ 2022 성균관대 기출

제시문

〈제시문1〉

첫째항에 차례로 일정한 수를 더하여 얻어진 수열을 등차수열이라 하고, 그 일정한 수를 공차라고 한다.
첫째항에 차례로 일정한 수를 곱하여 얻어진 수열을 등비수열이라 하고, 그 일정한 수를 공비라고 한다.

〈제시문2〉

자연수의 거듭제곱의 합은 다음의 등식으로 구할 수 있다.

(i) $1+2+3+\cdots+n=\sum_{k=1}^{n} k=\frac{n(n+1)}{2}$

(ii) $1^2+2^2+3^2+\cdots+n^2=\sum_{k=1}^{n} k^2=\frac{n(n+1)(2n+1)}{6}$

〈제시문3〉

수열 $\{a_n\}$ 을 오른쪽 그림과 같이 삼각형 모양으로, 가장 위 꼭짓점에서부터 출발하여 왼쪽에서 오른쪽으로, k 번째 줄에는 k 개씩 순서대로 배열하자. 그리고 모든 양의 정수 n 에 대하여, 이 수열의 첫째항부터 제n 항까지의 합을 S_n 이라고 한다.

a_1
a_2 a_3
a_4 a_5 a_6
a_7 a_8 a_9 a_{10}
a_{11} a_{12} a_{13} a_{14} a_{15}
a_{16} a_{17} • • • •
• • • • • • •

[1] 〈제시문3〉에서 모든 양의 정수 n 에 대하여 $S_n=n^2+n+1$ 일 때, 삼각형의 위 꼭짓점에서부터 50 번째 줄까지 각 줄의 가장 오른쪽에 배열된 수들의 합을 구하고, 그 이유를 논하시오.

[2] 〈제시문3〉에서 수열 $\{a_n\}$ 을 삼각형 모양으로 배열할 때, 짝수번째 줄의 배열은 역순으로 하자. 예를 들어, 두 번째 줄은 $a_2\,a_3$ 이 아니라 $a_3\,a_2$ 로 재배열하고, 네 번째 줄은 $a_7\,a_8\,a_9\,a_{10}$ 이 아니라 $a_{10}\,a_9\,a_8\,a_7$ 로 재배열한다. **[1]** 에서와 같이 모든 양의 정수 n 에 대하여 $S_n=n^2+n+1$ 일 때, 삼각형의 위 꼭짓점에서부터 50번째 줄까지 각 줄의 가장 오른쪽에 배열된 수들의 합을 구하고, 그 이유를 논하시오.

[3] 〈제시문3〉에서 모든 양의 정수 n 에 대하여 $S_n=2^n$ 이고, 수열 $\{a_n\}$을 삼각형 모양으로 배열할 때, **[2]** 에서와 같이 짝수번째 줄의 배열은 역순으로 하자. 이때 삼각형의 위 꼭짓점에서부터 50 번째 줄까지 각 줄의 가장 오른쪽에 배열되는 수들의 곱을 구하고, 그 이유를 논하시오.

답안지